KB195965

천마디를 이긴

# 한마디 2

CEO를 위한 100가지 명언

STARKE WORTE FÜR MANAGER

by Helge Hesse

# 천마디를 이긴 한마디 2

CEO를 위한 100가지 명언

헬게 헤세 | 박종대 옮김

북스코프

서문

# 짧지만 힘찬 말 속에 담긴 경영의 묘수

『천마디를 이긴 한마디 2—CEO를 위한 100가지 명언』은 단순히 명사들의 말을 한데 모아놓은 책이 아니다. 물론 여기에 소개한 말들이 연설이나 설명회 혹은 회의 석상에서 인용하기 좋은 소재이기는 하지만, 이 책의 진짜 목표는 이 말들 속에 숨어 있는 배경과 사고 과정을 보여주는 것이다.

이유는 간단하다. 여기에 실린 말들은 '짧지만 힘찬 말'이기 때문이다. '짧지만 힘찬 말'이란 함축적이면서 정곡을 찌르고, 복잡하거나 복잡해 보이는 상황을 적절하게 요약한 말이다. 이런 말들은 자극을 줄 뿐 아니라 심지어 이런저런 상황에서 해결책을 제시하기도 한다. 이 책은 그런 해결책 마련에 도움이 될 것이다.

필자는 이 책에서 100문장을 소개하면서 각각의 말들이 어떤 경영 상황에 도움이 되고, 경우에 따라 어떤 방향으로 해석될 수 있을지 숙고에 숙고를 거듭했다. 필요한 경우에는 각 말과 함께 그 말의 주인공에 대한 설명도 달아놓았다. 이 책에서는 그들이 원래 말하고자 했던 의미를 캐물어 들어가는 것보다 그 의미를 추론하고 성찰하고 추측하는 것에 더 무게를 두었다. 좀 더 솔직히 말해서 경영이라는 폭넓은 영역에 신선한 충격과 자극이 될 수 있는 의미를 찾기 위해 끊임없이 고민했다는 뜻이다. 선택된 인용문에 담긴 생각과 해석은 결코 다 드러낼 수도 없고, 다 드러내고 싶지도 않다. 오히려 이 말들을 계기로 또 다른 생각들이 꼬리에 꼬리를 물고 이어져야 하고, 이따금 토론으로도 이어질 수 있어야 한다. 이 책의 가장 큰 목적은 경영자들의 사고에 자극을 주는 것이기 때문이다.

이 책에는 많은 유명 인사들의 단언과 충고, 주석, 금언이 실려 있다. 이들은 모두 자신의 영역에서 일가를 이루었고, 자기만의 특별한 경험이 있는 사람들이다. 다만 브루스 스프링스틴, 앤디 워홀, 오스카 와일드, 마크 트웨인 할 것 없이 이 책에 실린 인물들이 대부분 통상적인 의미의 경영자가 아니라는 사실은 의외로 느껴질 수도 있다. 그러나 이런 의외의 사람들이 남긴 말들 속에서 경영의 묘수를 발견할 수 있다는 게 더 놀랍지 않은가. 아니, 어떤 면에서는 발상이 의외이거나 엉뚱할수록 더욱 유익할 수 있다. 생각해보라. 경영이라는 것도 결국 인간 삶의 한가운데에서 펼쳐지는 활동이라면 삶의 영향은 불가피하지 않겠는가? 그런 점에서 예술, 영화, 정치, 철학 등 다양한 방면의 경험들이 구체적인 경영 문제에 기발한 해결책을 제시해줄 수 있다. 더구나 특정 영역에서 특별한 성공을 거둔 사람들에게서 배우지 못할 이유가 어디 있겠는가? 사실 엘비스 프레슬리나 파블로 피카소, 아스트리드 린드그렌도 모두 나름대로 경영자였다. 직업상의 과정을 스스로 계획했고, 자기관리의 도전에 부딪혔으며, 목표를 세워 매진했고, 갈등을 겪고, 항상 되돌아보며 자신을 점검한 사람들이었다. 이런 경험에서 우러나온 말들이 어찌 경영 상황에 적용될 수 없겠는가!

물론 책을 읽다 보면 간혹 주제에서 벗어난 것처럼 보이는 의외의 말이 눈에 띌 수도 있다. 그런 선택에는 독자들이 발상의 전환을 통해 폭넓고 다양한 경영 업무에 창의적으로 접근해보았으면 하는 필자의 바람이 담겨 있다. 경영이론의 실질적인 수단들은 경영상의 과제를 해결하기 위해서는 포기할 수 없는 필수 요소이다. 하지만 이 수단들이 경영자의 사고 과정을 대체할 수는 없다. 즉 경영 수단을 올바르게 투입하도록 이끄는 것은 경영자나 지도부 같은 '사람'의 개인적인 판단이다. 이는 자기관리와 경력 설계뿐 아니라 조직의 구체적인 과제 설정에도 해당된다.

이 책이 경영자 및 관리자의 주의력을 개선하고, 세상을 보는 시야를 넓히고, 사물을 새롭고 다르게 조합하고, 그전까지 상상조차 할 수 없었던 아이디어를 찾는 데 기여한다면 그 목표를 충분히 달성한 셈이다. 또한 이 책은 또 다른 독서의 계기가 될 수도 있고, 삶과 직업상의 과제를 극복하고 싶어 하는 독자들에게 타인들의 정신세계를 통한 새로운 자극제가 될 수 있을 것이다. 흥미롭고도 유익한 독서가 되길 바란다.

뒤셀도르프에서

헬게 헤세

## 일러두기

우선 이 책은 명사들의 말을 특정한 관점에서 묶은 것이다. 처음부터 끝까지 통독하는 독자라면 각 말들마다 이야기하는 초점이 다르다는 점을 알아차릴 것이다. 하지만 이 책은 인위적인 체계나 교훈적인 구성을 일부러 배제했다.

이 책은 경영상의 다양한 문제들을 해결하는 데 초점을 맞추었다. 따라서 필자는 어떤 형태의 서열적 분류도 시도하지 않았고, 각 장을 주제별로 묶으려 하지도 않았다.

대신 독자들이 특정 주제와 관련된 말을 쉽게 찾을 수 있도록 '키워드'를 달아놓았다. 예를 들어 '경쟁', '지도력' 같은 키워드로 그에 해당하는 말을 소개한 부분을 찾을 수 있다.

각 말의 주인공을 소개하는 코너에서는 인물에 관한 간단한 정보 외에 말의 출처와 경우에 따라 원문을 실어두었다.

이 책에는 출처가 분명하거나 비교적 신뢰할 만한 근거가 있는 말들만 수록되어 있다. 일반적으로 작가와 문필가들의 말은 출처를 밝히기가 한결 쉽다. 또한 그렇게 제시된 출처들은 흥미로운 또 다른 문구와 금언들을 만날 소중한 자료가 되기도 한다. 반면 동시대 유명 인사들의 말은 결정적인 출처를 찾기가 훨씬 더 어려웠다. 물론 이 책에 수록된 말들은 모두 책으로 출간되었거나 인터넷 명언 사이트 등에서 비교적 쉽게 찾을 수 있었다.

001

# 이기는 것이 현대적인 것이다

오토 레하겔 Otto Rehhagel

온 세상이 오토 레하겔의 성공을 인정했음에도, 그가 육십이 넘은 나이에 그리스 축구 국가대표 팀 감독을 맡을 당시 사람들은 그를 축구계의 살아 있는 화석 정도로만 치부하고 있었다. 독일 분데스리가에서 감독으로 활약하던 시절부터 그에게는 케케묵은 방식으로 축구를 한다는 질책이 수없이 쏟아졌다. 그런 만큼 그가 맡은 그리스 팀이 역사상 처음으로 유럽축구선수권대회 출전권을 따내자 세간의 놀라움도 더 클 수밖에 없었다. 하지만 그때까지만 해도 사람들은 대개 온화한 미소를 지으며 그의 성공을 축하해주는 정도였다.

그런데 본선 개막전에서 레하겔의 그리스팀이 강력한 우승 후보였던 포르투갈을 무찌른 뒤 파죽지세로 16강까지 진출하자 백전노장에게 찾아온 제2의 봄날을 축하하는 분위기 외에 조금씩 다른 목소리들이 터져 나오기 시작했다. 그의 팀은 여전히 혁신적인 방식과는 거리가 먼 옛날 축구를 하고 있다는 거였다. 그러나 그리스 대표 팀은 소위 현대식 축구를 구사한다는 다른 팀들을 연파하고 4강에 진출했고, 이어 결승에까지 오르자 레하겔은 자신을 비난하던 이들에게 이런 말로 일격을 날렸다.

"이기는 것이 현대적인 것입니다."

그러고는 마침내 우승컵까지 거머쥐었다. 그의 말은 이렇게 바꾸어 말할 수 있다.

'성공을 거둔 사람이 현대적이다.'

왜냐하면 관건은 축구 경기의 제한된 조건 안에서 가용 여건을 적절하게 조절해나가는 능력이기 때문이다. 여기서 제한된 조건이란 레하겔에겐 상대 팀이고, 기업 입장에선 시장이나 목표 고객이다.

레하겔은 세련된 축구를 구사하지 않는다는 많은 사람들의 구박에도 불구하고 끝까지 현대식 축구를 선택하지 않았다. 그가 원한 것은 '승리'였다. 그래서 경기 자체에 더 집중했고, 최선을 다해 경기에 자신을 맞추어나갔다. 반면에 다른 팀들은 더 멋있게 경기를 했지만 결국 낙오하고 말았다. 그렇다면 누가 현대적

---

**오토 레하겔(1938~)** 독일 축구 감독. 분데스리가에서 베르더 브레멘 팀을 맡아 독일축구선수권대회에서는 세 번, 독일축구연맹컵에서는 두 번, 유럽컵에서는 한 번 우승을 이끌었다. 2004년에는 그리스 국가대표 팀을 맡아 유럽축구선수권대회를 제패했다.

이 말은 독일통신사 dpa와 인터뷰 중 한 말로, 2004년 7월 2일 《스탠다드》 지와 2004년 7월 5일 《프랑크푸르터 알게마이네 차이퉁》 지에 실렸다.

일까? 레하겔이 이미 그에 대한 결론을 내렸다.

그렇다면 승리의 원동력은 무엇일까? 레하겔은 나름대로 이렇게 추측한다.

"예전에는 모두가 원하는 것을 했지만, 지금은 내가 할 수 있는 것을 한다."

●● **키워드** 현실성, 도구, 실행

002

# 경쟁은 탐험의 즐거움을 배가시킨다

로알 아문센 Roald Amundsen

노르웨이의 탐험가 로알 아문센은 이 말에 이어 계속 이렇게 말한다.

"경쟁은 우리를 대담하게 만들고, 사고와 장애물에도 아랑곳없이 우리를 전진하게 만드는 자극제이다."

아문센과 영국의 탐험가 로버트 팰콘 스콧이 남극 정복을 둘러싸고 벌인 경쟁은 역사에 기록될 정도로 유명하다. 이 경쟁에서 패배자였던 스콧은 대원들과 함께 귀환하다가 모두 목숨을 잃는 비극을 맞았다. 그 후 아문센과 스콧의 너무나도 상이했던 접근 방식은 두고두고 사람들의 입에 오르내렸다.

아문센은 무엇보다 자신을 담금질하는 데 경쟁 상황을 활용했고, 남극을 최초로 밟겠다는 목표 의식도 스콧보다 훨씬 더 강했다. 반면에 아문센의 의도를 전혀 몰랐던 스콧은 아문센의 네 배

규모에 이르는 탐험대를 처음에는 아주 천천히 이동시켰다. 그는 커다란 베이스캠프를 설치하고, 주로 탐사 작업에만 몰두했다. 그러던 어느 날 그의 탐사선이 남극대륙의 해안선을 따라 움직이다가 아문센의 베이스캠프를 발견했다. 그제야 상황이 어떻게 돌아가는지 깨달은 스콧은 부랴부랴 대원들을 몰아붙여 남극으로 달려가기 시작했다. 아문센보다 이미 몇 단계는 늦은 상태였다.

아문센은 처음부터 경쟁을 염두에 두고 있었기에 경쟁자보다 한발 앞설 수 있었다. 베이스캠프도 스콧보다 극점에서 수십 킬로미터 더 가까운 곳에 설치했다. 스콧도 남극에 일착으로 닿고 싶었지만, 상대의 예상치 못한 선제공격으로 수많은 부분에서 목표에 뒤처질 수밖에 없었다. 반면에 아문센은 확고한 목표 의식과 꾸준한 실천으로 한껏 들떠 있었다.

"내 생애에 이렇게 좋은 날들은 없었다."

"경쟁이 탐험의 즐거움을 배가시킨다"는 말은 경영자와 기업가들에게도 똑같이 적용될 수 있다.

아문센이 경쟁자와 경쟁 상황을 의식한 것은 그 자신을 끊임없이 개선시키는 중요한 동인이 되었다. 게다가 자신과는 다른 수단으로 목표에 닿으려는(일례로 개 썰매를 이용한 아문센과 달리 스콧은 전동 썰매와 조랑말을 이용했다) 경쟁자가 있다는 것을 아는 것, 그리고 그와 관련해서 자신이 선택한 수단이 정말 옳은지에 대한 의문이 아문센을 더욱 몰아세웠고, 창의력을 촉진하고 영감을 불어넣었다.

직장 사회에서도 아문센의 발언은 퍽 흥미롭다. 평소에 경쟁이 없는 분야만을 찾았던 경영자와 기업가라면 이제 경쟁 상대를 스스로 찾아나서야 하고, 그것을 기업 경영의 출발점으로 삼아야 한다.

•• **키워드** 경쟁

---

**로알 아문센**(1872~1928) 노르웨이의 극지방 탐험가. 1911년에 최초로 남극점에 도달했다. 나중에는 비행선 '노르게' 호를 타고 북극 탐험에 나서 이목을 끌었다.

---

003

# 다수에 속해 있다면, 자신을 변화시킬(혹은 멈추어서 성찰할) 때가 되었다는 의미다

마크 트웨인 Mark Twain

자기보존 본능, 저항의 길을 걷지 않으려는 심리, 조화의 욕구, 소속되고 싶은 욕망, 이런 심리가 모두 합쳐져서 우리는 의도하건 의도하지 않건 다수에 속하게 된다. 다수의 의지나 의견은 많은 사람들의 공통된 견해에 뿌리를 두고 있지만, 그것이 항상 가장 훌륭하고 정의로운 길은 아니다.

미국의 유명한 작가 마크 트웨인이 던진 충고도 결국 그런 다수의 본질과 형성 과정에 근거하고 있다. 그렇다고 이 말을 노골적으로 야당의 길을 걸으라거나, 끊임없이 사회 주변부에서 소수자의 길을 선택하라는 뜻으로 받아들여서는 안 된다.

이 말을 명심함으로써 얻을 수 있는 이득은 '다수'의 본질에 그 뿌리가 닿아 있다. 다수는 체질적으로 변화를 싫어하고 관습적인 것을 문제시하지 않는 경향을 보인다. 그저 삶을 편안하게,

습관적으로 살고 싶은 사람이라면 다수에 끼는 편이 가장 좋다. 그러나 자연 이치상 이론(異論)과 아이디어, 대안은 대개 소수에게서 나온다. 따라서 기업이나 팀 안에서 다수의 눈치를 보는 것보다는 처음부터 자기만의 아이디어를 개발해서 다수를 그 아이디어로 끌어들이려고 노력하는 것이 중요하다.

이처럼 마트 트웨인의 말은 유연하면서도 자기비판적 입장을 유지하길 요구하고 있으며, 또 끊임없이 자신의 개성을 자각하고 키워나가라는 의미로 읽을 수 있다. 그런 다음 다수의 의견을 알게 되면 그에 대한 자신의 입장을 스스로 캐물어보아야 한다. '내가 다수에 속하는가? 속한다면, 그 이유는? 공통의 가치 때문에? 편하게 살고 싶어서? 아니면 순응하려고?'

●● **키워드** 분석, 마음가짐, 관리, 자기관리

---

**마크 트웨인(1835~1910)** 미국의 소설가로 본명은 새뮤얼 랭혼 클레멘스이다. 『톰 소여의 모험』과 『허클베리 핀의 모험』 두 작품을 통해 탁월한 해학가이자 날카로운 사회 비평가로서 문학사에 이름을 올렸다.
이 말은 1904년에 발표된 비망록 『노트북』에 실려 있다. "Whenever you find yourself on the side of the majority, it is time to reform (or pause and reflect)."

---

# 움직임을 행동과 혼동하지 말라

어니스트 헤밍웨이 Ernest Hemingway

바람에 흔들리는 나뭇가지는 스스로 움직인 걸까? 하늘로 날아오르는 풍선은 자기 힘으로 올라가는 걸까?

움직인다고 해서 반드시 능동적인 행동으로 간주해서는 안 된다. 영향을 미치는 다른 능동적인 힘을 통해 움직임이 생길 수도 있다.

기업 경영과 관련해서 이 말이 시사하는 바는 무엇일까? 여기서 우리는 어떤 깨달음을 얻을 수 있을까? 헤밍웨이의 말은 움직임과 행동을 구분하라고 가르친다. 활동의 이 두 양태는 직장 내에서 쉽게 찾아볼 수 있을 뿐 아니라 개인의 일상에서도 자주 확인할 수 있다.

원칙적으로 '움직임'이란 반응이자, 주어진 일을 해내는 것을 말한다. 움직이는 것은 아직 행동하는 것이 아니다. 어떤 때는 움직임이 반응 수준에만 머물러 있기도 한다. 반면에 행동은 목표 의식을 갖고 적극적으로 만들어나가는 것이며, 지시를 기다리지 않고 자발적으로 활동하는 것을 가리킨다.

경영 일선에서 한 부서든 개인이든 과제 영역과 자기이해에서 움직임과 행동을 허용하고, 움직임과 행동의 상이한 특성을 자각해서 일에 적용하는 것은 상당히 중요하다. 또한 헤밍웨이의 말을 '행동을 움직임과 혼동하지 말라'는 표현으로 뒤집어보는 것도 의미가 있다.

헤밍웨이의 말은 자신의 행동으로 상황을 규정하고, 영향을 끼치고, 외부의 어떤 영향을 허용하지 않고, 타인의 움직임까지 창출하라는 요구로 이해할 수 있다.

이 말은 헤밍웨이가 마를레네 디트리히(독일의 유명한 여배우—옮긴이)와의 전화 통화에서 남긴 것이다. 별로 내키진 않지만 정체되기 싫어서 어떤 일자리를 받아들였다고 그녀가 이야기하자 헤밍웨이는 이렇게 대답했다.

"마음 깊은 곳에서 저항이 일어나는 일은 하지 마세요. 움직임을 행동과 혼동해선 안 됩니다."

●● **키워드** 지도력, 마음가짐, 자기관리, 실행

---

**어니스트 헤밍웨이(1899~1961)** 미국의 소설가. 냉철하고 객관적인 문체의 대가로 단편과 장편소설을 통해 세계 속에서 자아의 관철과 발전을 역설했다. 대표작으로는 『누구를 위하여 종은 울리나』와 『노인과 바다』를 꼽을 수 있다.

---

005

# 냉소주의자는 모든 것의 가격만 알고 가치는 모르는 사람이다

오스카 와일드 Oscar Wilde

경제학자들은 수백 년 전부터 한 재화의 가격이 어떻게 형성되는지를 두고 골머리를 썩여왔다. 당연히 상품 생산까지 들어간 투자비와 노동이 시장에서 받을 가격을 결정하는 데 큰 영향을 끼친다. 하지만 잠재적 구매자들이 인정하는 가치도 그에 못지않은 영향을 미친다.

따라서 상품을 평가하는 척도는 '가격'과 '가치'이다. 하지만 이 둘이 별개의 척도라는 사실을 잊어서는 안 된다. 가격은 계량화할 수 있는 객관적 단위인 반면 가치는 그렇지 않기 때문이다. 가격은 무엇보다 실질 단위이고 상품 교환에 이용된다. 하지만 가치는 개인적 평가나 정서적 관점에서 결정된다.

가격과 가치의 불일치는 일상에서 흔히 찾아볼 수 있다. 가격이 가치에 정확하게 맞아떨어지는 경우는 아주 드물다. 예를 들어 1유로짜리 빵이 있다고 하자. 배가 부르고 돈이 있는 사람에게 1유로는 싼 가격이다. 그리고 지금은 배가 부르기 때문에 가치 면에서는 제로나 다름없다. 반면에 배가 고픈 사람에게는 다르다. 가격은 마찬가지로 싸지만 가치는 상대적으로 매우 높을 수밖에 없다.

보석 같은 사치품은 가격이 무척 비싸다. 하지만 신분 과시나 기억의 도구로서 그 가치는 훨씬 높을 수 있다. 그런데 이런 사치품들의 가격은 구매자에게 가치의 환상을 심어주기도 한다. 이는 인간 본성이 지닌 어쩔 수 없는 괴벽으로 받아들일 수 있지만, 바로 여기서 가격이 척도로서의 가치를 몰아내기 시작한다.

물질적 재화의 경우는 그것이 아직 감내할 수준이지만, 장차 위험해질 가능성은 언제든 존재한다. 척도로서 가격을 선호하는 경향은 사회적 가치를 밀쳐내는 발단이 되기 때문이다.

그렇다면 그러한 경향은 언제부터 냉소적으로 변할까? 인간의 가치에 대한 평가가 사회적 관심사로 떠오르고, 인간의 노동력이 '가격'으로 매겨질 때 냉소주의를 떠올리게 된다. 그럼 우리 시대는 냉소적인가? 판단은 각자의 몫이다.

---

**오스카 와일드(1854~1900)** 아일랜드 작가. 멋쟁이에 플레이보이였던 오스카 와일드는 『도리언 그레이의 초상』과 어린이를 위한 소설 『캔터빌의 유령』으로 세계적인 작가의 반열에 올랐다. 이 밖에 사회 비판 코미디를 여러 편 썼다. 그의 경구들은 세계적으로 유명하다.

이 말은 희곡 『원더미어 부인의 부채』 3막에 나온다. "A cynic is a man who knows the price of everything, and the value of nothing."

---

분명한 것은 한 가지다. 모든 것에는 가격만 있는 것이 아니라 가치도 있다는 사실이다. 가치란 반드시 경제적 단위는 아니다. 그런데도 경제적 단위로서의 가격을 정서적 단위로서의 가치보다 높게 치는 사람은 오스카 와일드의 표현처럼 냉소적인 사람일 뿐 아니라, 경제가 사람을 위해 존재하는 것이지 사람이 경제를 위해 존재하는 것이 아니라는 사실을 잊고 있는 사람이다.

●● **키워드** 가격, 가치

006

# 나는 특별한 재능이 있는 것이 아니라 호기심이 아주 많을 뿐이다

알베르트 아인슈타인 Albert Einstein

20세기 최고의 천재로 인정받는 인물의 숨겨진 비밀이 바로 이것이었을까? 지적 능력이 아니라 호기심? 물론 아인슈타인에게 20세기 최고, 아니 인류 역사상 최고의 사상가라는 명성을 안겨준 원동력이 그의 탁월한 지력에 있다는 데는 이론의 여지가 없다.

그럼에도 아인슈타인의 성공 요소를 지능지수같이 계량화할 수 있는 요소로만 돌리는 것은 섣부른 단견일 가능성이 높다. 세상에는 머리가 좋고 특출한데도 재능만큼 성공을 거두지 못한 사람들이 무수히 많기 때문이다. 그렇다고 목표에 도달하기 위해서는 웬만큼 시간이 필요하다는 뜻은 아니다. 오히려 성공에는 이런저런 다른 성격적 특성이 곁들여져야 한다는 것을 강조한다.

아인슈타인의 말은, 호기심은 지적 능력보다 더 중요하며 지능만으로는 충분하지 않다는 의미를 내포하고 있다. 심지어 필자는 감히 이렇게 주장하고 싶다. 재능 없이 성공한 사람의 수가 재능이 있으면서도 성공하지 못한 사람만큼 많다고. '운'이라는 요소를 제외하면 성공으로 이끄는 것은 대부분 추진력과 극기이기 때문이다.

자신에게 특별한 재능이 없다는 아인슈타인의 말은 입 발린 소리처럼 들리기도 하지만, 좀 더 자세히 들여다보면 그 뒤에는 의도적인 충고가 깔려 있는 듯하다. 생시부터 수많은 사람들에게 천재로 각광받았던 아인슈타인이 자신의 본질적 특성을 '호기심'이라 규정함으로써 그가 정말 중요하게 생각하는 요소에 방점을 찍었기 때문이다.

독일어에서 '호기심Neugier'이라는 단어는 '새로움neu'에 대한 '갈망Gier'을 의미한다. 이는 배움에 대한 소망과 변화에 대한 준비를 담고 있다. 정체와 고집은 호기심의 적이다. 아인슈타인이 이 말을 통해 궁극적으로 하고 싶었던 이야기는, 만일 호기심이 없었다면 결코 학문적으로 위대한 성취를 이루어내지 못했을 것이라는 사실이다. 아마 인생에서 선택이 가능하다면 그는 호기심이 적은 쪽보다 지력이 적은 쪽을 선택했을 것이다.

●● **키워드** 마음가짐, 혁신, 경력, 창의성, 자기관리

---

**알베르트 아인슈타인(1879~1955)** 독일 출신의 미국 물리학자. 20세기 최고의 천재일 뿐 아니라 인류 역사상 가장 명석한 인물 중 하나로 꼽힌다. 아인슈타인은 일반상대성이론과 특수상대성이론으로 자연과학적 세계상뿐 아니라 시간과 공간, 그리고 삶을 바라보는 인간의 관점까지 바꾸었다. 1921년 양자 이론에 관한 논문으로 노벨물리학상을 받았다.

---

007

# 일곱 배로 늘리고, 사람들이 갈망하는 것을 일곱 배로 보여줘라

발터 벤야민 Walter Benjamin

광고란 단순히 무언가의 존재를 알리는 것이 아니다. 광고란 끈기다. 중세 기사가 우아한 부인의 마음을 얻으려고 애쓰듯 기업도 끊임없이 고객을 향해 구애한다.

독일의 문학비평가이자 작가인 발터 벤야민의 평소 성향이나 문화비평적 시각을 감안하면, 이 말은 오히려 광고주를 향한 충고이기보다는 소비자가 광고를 인지하는 방식을 확인시켜주고 있다. 그렇다면 벤야민의 말은 액면과는 다른 반대의 효과를 내고 있는 셈이다. 즉 적(벤야민의 경우엔 광고에 해당한다)의 부정적인 실상을 드러내려는 시도가 되레 적에게 이로운 충고를 해주는 결과가 되어버리고 말았다.

벤야민의 말을 가능한 한 광고 횟수를 늘리라는 의미로 해석했다면 번지수를 잘못 찾은 것이다. '일곱 배로 늘리라'는 것은 되도록 많은 형태를 선택하라는 뜻이다. 그리고 '사람들이 갈망하는 것을 일곱 배로 보여주라'는 것은 사람들이 어디서든 볼 수 있도록 많은 장소와 시선이 닿는 모든 방향에 설치하라는 뜻이다.

이 모든 것을 제대로 실행하기 위해서는 사람들이 갈망하는 것이 무엇인지 정확히 깨닫고, 고객의 입장에서 생각해야 한다. 광고의 목표 집단은 어디에 머물고 있는가? 그들은 어느 쪽을 보는가? 그들이 인지하는 것은 무엇인가?

"일곱 배로 늘리고, 갈망하는 것을 일곱 배로 보여줘라"라는 말 속에는 일곱 배로 인지하게 해야 한다는 의미도 숨어 있다. 즉 광고는 경우에 따라 문제 해결사, 아이디어 제공자, 후원자, 조력자, 구조자의 역할을 할 수 있어야 한다.

●● **키워드** 마케팅, 시장성, 광고

---

**발터 벤야민(1892~1940)** 독일의 저술가, 문학비평가, 철학자. 날카로운 문학평론으로 유명해졌고, 나중에는 보들레르와 프로스트의 작품을 번역하기도 했다. 파리에서 망명 생활을 하면서 문화와 예술비평에 관한 대표적인 저서 『기술복제시대의 예술 작품』을 썼다.

---

008

# 내 성공 비결은 단지 사람들이 원하는 걸 준 것뿐이다

앤디 워홀 Andy Warhol

이 말이 특히 눈에 띄는 이유는 그 주인공 때문이다. 미국의 예술가 앤디 워홀은 누구보다 예술의 상업화에 앞장선 사람이었다. 그래서 예술을 상품으로 변질시켜 예술의 격을 떨어뜨렸다는 이유로 많은 사람들로부터 공격을 받기도 했다. 워홀은 전통적인 주문 생산뿐 아니라 연속 기획물 생산과 작품의 대량 복제를 통해 예술 기업가가 되었다.

사회적 메커니즘과 흐름, 그리고 인간에 대한 눈 밝은 관찰자였던 워홀이 작품의 소재로 삼았던 것은 시대의 전형과 발전 양상이었다. 작품을 제작할 때에도 실크스크린 같은 전통적인 기법만 사용한 것이 아니라 폴라로이드와 영화, 비디오, 복사 등 대량 소비를 위해 개발된 갖가지 새로운 수단들을 적극 활용했다.

인간과 사회에 대한 예술과 소통의 역할, 그리고 예술적 창작 행위에 대한 앤디 워홀의 태도는 경영자와 기업가들에게 훌륭하고 교훈적인 보기가 될 수 있다.

이유는 분명하다. 하필이면 예술가, 즉 자신의 작품을 완벽하게 만드는 데에만 관심이 있고 자신의 작업을 자기 목적으로 추진하는 데 익숙할 법한 사람이 난데없이 일반인들에게 원하는 것을 주어야 한다고 말하고 있기 때문이다. 워홀은 타인의 욕구를 인식하고 충족시키는 것을 성공의 전제 조건으로 규정하고 있다. 이 말은 인간의 성취와 상품이 실제로 얼마만큼 사람들에게 '원하는 것'을 주고 있는지, 혹은 거꾸로 그것을 제작하고 제공한 사람들의 내적 만족과 자아실현의 욕구만 충족시키고 있는지 곰곰이 숙고해볼 계기가 될 수 있다.

●● **키워드** 성공, 고객과 고객 만족, 마케팅, 시장 조사, 상품

---

**앤디 워홀(1928~1987)** 미국의 화가, 그래픽 예술가, 영화제작자. 1960년대 초에 유명해졌다. 워홀은 미국 팝아트를 대표하는 예술가로서 단순히 개성적인 스타일 하나만으로 20세기의 핵심 예술가로 대접받는 것이 아니다. 그는 대중매체와 대중문화를 성찰했고, 그것을 다양한 모티프와 작업 방식, 특히 산업적 방법을 응용하여 변형시켰다. 〈엘비스 프레슬리〉와 〈마릴린 먼로〉 같은 그림은 현대미술의 아이콘이 되었다. 또한 그가 '공장Factory'이라고 불렸던 작업 공간에서의 독특한 작업 방식도 세간의 주목을 끌었다. 그는 여기서 조수들과 함께 생활하면서 작업도 함께했다.

---

## 009

# 회의에서 훌륭한 아이디어가 탄생하지는 않는다 다만 쓸모없는 아이디어들이 많이 솎아지기는 한다

F. 스콧 피츠제럴드 Francis Scott Fitzgerald

이 말이 사실이라면 최소한 홀가분한 심정으로 이렇게 말할 수는 있을 것이다. 회의에도 긍정적인 측면이 있다고 말이다. 농담은 이쯤하자. 어쨌든 미국의 작가 F. 스콧 피츠제럴드는 이 한마디 속에 회의의 한계와 장점을 기가 막히게 잘 요약해놓았다.

아이디어를 찾는 과정과 관련해서 회의의 단점부터 먼저 이야기해보자. 똑똑한 사람이건 능력이 뛰어난 사람이건 여러 명이 함께 모인다고 해서 반드시 정해진 시간 안에 쓸 만한 아이디어를 찾을 수 있는 이상적인 조건이 갖춰지는 건 아니다.

달리 말해서, 아이디어를 짜내기 위해 가능한 모든 사람이 오전 열시부터 열두시까지 회의를 여는 것이 가장 빨리 목표에 도달할 수 있는 방법은 아니라는 것이다. 물론 정해진 시간 안에 실제로 어떤 아이디어를 찾을 수도 있다. 그것도 괜찮은 아이디어로 말이다. 하지만 대부분은 그렇지 않다.

과제를 다시 한번 점검하거나 해결책을 논의할 때는 회의를 통해 아이디어의 골격을 세울 수 있다. 그러나 원칙적으로 아이디어를 찾는 최선의 길은 제도화가 불가능한 독자적인 과정이다. 회의에서는 핵심 아이디어를 찾을 수 없다는 뜻이다.

아이디어 찾기의 한정 조건을 확정하는 짧은 회합으로서 회의의 장점은 이미 언급한 바 있다. 아이디어를 철저히 검증하고자 할 때 회의는 충분히 그 효용성을 발휘한다. 괴테의 다음 말도 이런 맥락에서 이해할 수 있다.

"상의되지 않은 것은 옳다고 볼 수 없다."

회의를 통해 개별적인 제안과 아이디어들이 여러 영역의 전문가들에 의해 샅샅이 검증되기 때문에 회의 석상에서 사라지는 아이디어도 많다. 그중에는 어쩌면 훌륭한 아이디어도 있을 수 있다. 하지만 그때의 여건에서는 실행될 수 없는 것들이다.

회의 끝에 찾아낸 해결책을 아이디어와 혼동해서는 안 된다. 찾아낸 것들은 대개 타협책이나 가능성들이다. 그런 점에서 회의는 평가와 조종에 훌륭한 수단이지만 창의력의 영역은 아니다.

●● **키워드** 아이디어, 정보, 회의, 소통, 관리, 조종

---

**F. 스콧 피츠제럴드(1896~1940)** 미국 작가. 청년기에 1차 대전을 경험한 이른바 '잃어버린 세대'에 속하는 소설가이다. 피츠제럴드의 작품은 격동의 1920년대를 무대로 사교계와 부자들의 세계를 관찰, 묘사하고 있다. 대표작으로 『재즈시대 이야기』와 『위대한 개츠비』가 있다.

---

010

# 나이 오십에도 스무 살처럼 세상을 보는 사람은 30년을 헛산 것이다

무하마드 알리 Muhammad Ali

이 말은 '경험이란 근본적으로 인간의 내면에 무언가 변화를 야기할 때에야 비로소 경험이 된다'는 표현의 변형이다.

삶은 앞질러 가면서 모든 사람에게 흔적을 남긴다. 한 사람의 경력에서도 삶을 읽을 수 있고, 얼굴에서도 삶이 보인다. 또한 삶은 인간의 영혼에도 깊은 낙인을 찍는다.

그럼 인간의 이성에도 삶이 영향을 미칠까? 정말 그렇다면 인간은 살아가면서 많은 다양한 시각을 받아들여야 한다. 미국의 위대한 권투 선수 무하마드 알리의 삶을 보면 이런 생각이 더더욱 특별한 깊이를 얻는다. 이유는 무엇일까?

캐시어스 클레이라는 이름으로 태어난 무하마드 알리의 인생은 일관성과 명쾌함, 모순과 단절이라는 너무나 인간적인 면모들이 특별한 방식으로 혼합되어 있다. 그는 올림픽에서 우승

했지만, 미국의 완강한 인종차별에 격분해서 오하이오 강에 금메달을 던져버렸다. 이후 곧바로 프로 세계로 뛰어들어 세계 챔피언에 등극했고, 이슬람으로 개종해서 이름까지 바꾸었으며, 베트남전쟁이 한창 정점으로 치달을 때 종교적인 이유로 입대를 거부해 세계 챔피언을 박탈당하고 집행유예까지 선고받았다. 그러나 여기서 좌절하지 않고 세계 챔피언 벨트를 다시 찾는 데 성공했다. 앞에 인용한 말은 그 이듬해, 서른셋이 되던 해에 그가 남긴 말이다.

한편으로 보면 무하마드 알리는 항상 자신의 가치관에 충실했다고 할 수 있다. 하지만 다른 한편으로는 바로 그 때문에 세월이 지나면서 여러 변화를 겪었고, 크나큰 승리와 쓰라린 패배를 경험했다.

두 측면 모두 자신의 가치관에 충실했던 면과 관계가 깊지만, 이는 삶에 대해 한번 가졌던 시각에 집착하는 태도를 의미하지는 않는다. 가치란 한 인간의 도덕적인 틀을 가리킨다. 개인에게 무엇이 좋고 나쁜지 말해주는 것이 가치이다. 그런 점에서

---

**무하마드 알리(1942~)** 미국의 전설적인 권투 선수. 여러 차례 세계 챔피언 자리에 복귀함으로써 '챔피언은 돌아오지 않는다'는 권투계의 불문율을 깨뜨린 몇 안 되는 선수 가운데 하나였다. 알리는 20세기 가장 뛰어난 권투 선수일 뿐 아니라 역사상 가장 유명한 운동선수이기도 하다. 시민으로서 보여준 용기와 인간 됨됨이로 권투 선수로서의 빛나는 명성을 훨씬 뛰어넘는 인기를 누렸다.

이 말은 《플레이보이》(1975년 11월호)에 실린 인터뷰에서 발췌했다. "The man who views the world at 50 the same as he did at 20 has wasted 30 years of his life."

가치에 대한 굳은 마음은 인생 경험과 함께 변화된 관점으로 이끌어준다.

이는 우리가 배우고자 할 때에만 가능하다. 무하마드 알리의 말은 '인생은 배움'이라는 불변의 원칙을 역설한다. 즉 배움을 삶의 어느 시기부터, 직장의 어떤 단계부터, 혹은 어떤 나이부터 할 수 있는 것으로만 생각하는 것이 아니라 항상 모든 일에 호기심을 갖고 자신의 관점을 바꿀 준비가 된 태도로 이해해야 한다는 것이다.

●● **키워드** 경험, 경력, 학습

011

# 생각이란 찬성이나 반대가 아니다 그러면 투표가 되어버린다

로버트 프로스트 Robert Frost

유감스럽게도 우리는 '시끄러운 생각' 즉 '토론'을 '요점을 정리하는 것'(또는 '최종 결론')과 혼동하는 실수를 저지른다. 그래서 누군가 이야기하는 걸 보면서 그가 이미 정해놓은 결론을 위해 끼워 맞추기 식으로 말하고 있다고 생각하는 자충수를 두기도 한다. 그 사람은 그저 주제를 조금 변형해서 그에 맞는 상이한 논거를 검토할 뿐인데 말이다.

직장 생활 경험이 있는 사람이 이런 사고의 오류에 쉽게 빠지는 데에는 다음과 같은 이유도 있다. 경영자들 사이의 대화를 보더라도 말로만 '공동의 사고'니 '공동의 논의'일 뿐, 실제로는 '생각'보다 이미 정해진 결정에 의해 조종될 때가 많기 때문이다. 그렇게 되면 생각은 그저 미화나 치장에 그치고 만다.

그렇다면 생각의 본래 모습은 어떨까? 생각은 창의적 과정이다. 만일 이 과정이 단 한 사람 속에서만 진행되면 자기 자신의 한계와 터부에만 제한된다. 그러나 다른 사람들과 함께 생각을 하면 특정한 규칙이 작동한다. 미국의 시인 로버트 프로스트가 과감하게 건드린 것도 바로 이런 민감한 부분이다. 여기서 직장 세계의 일상에도 해당하는 많은 자극이 도출될 수 있다.

회의에서는 모든 참석자들이 아이디어를 낼 수 있는 분위기가 이루어져야 한다. 물론 말처럼 쉽지는 않지만, 회의 석상을 지배하는 성공에 대한 부담감을 처음부터 빼버리는 것이 도움이 된다. 담배를 허용하는 것도 괜찮다. 창조적인 분위기를 위해서는 누구든 아이디어를 자유롭게 말할 수 있는 것이 중요하고, 그에 대해 즉석에서 가타부타 평가를 내리지 말아야 한다. 이런 분위기가 가장 이상적으로 흘러가면 참석자들은 모든 착상을 가능한 한 편견 없이 수용해서 아이디어를 계속 발전시켜나갈 수 있게 된다. 그러므로 아무리 엉뚱해 보이는 아이디어라도 해결을 위한 열쇠가 될 수도 있다는 태도를 항상 유지해야 한다. 그러지 않고 아이디어에 대해 바로 가치 판단을 내려버리면 더 이상의 발전은 없고, 프로스트의 말처럼 생각이 투표가 되어버린다.

●● **키워드** 분석, 회의, 창의성

---

**로버트 프로스트(1875~1963)** 20세기 미국의 가장 중요한 서정시인 가운데 한 사람으로 꼽힌다. 그의 시는 자연의 경험을 그리면서도 궁극적으로 '존재'의 문제에 천착했다. 가장 유명한 시로 「가지 않은 길」이 있다.
이 말의 원문은 다음과 같다. "Thinking isn't agreeing or disagreeing. That's voting."

---

012

# 지식에 대한 투자가 여전히 이윤이 가장 높다

벤저민 프랭클린 Benjamin Franklin

그는 이 사실을 정확히 알고 있었을 것이다. 벤저민 프랭클린은 단순히 미합중국의 건국 공신 중 한 사람만은 아니었기 때문이다. 아는 사람은 알겠지만, 그는 피뢰침을 발명한 뛰어난 과학자이기도 했고, 사업가로도 성공해서 상당한 액수의 재산을 모았다. 젊을 때는 인쇄소를 열었고, 신문사를 사들였으며, 아메리카 이주민들의 교육에 크게 기여한 『가난한 리처드의 연감』을 발행하기도 했다. 도서관 간의 상호 대출 제도를 도입한 것도 벤저민 프랭클린이었다.

따라서 인쇄업, 신문사, 연감 발행, 도서관 상호 대출 같은 프랭클린의 사업 활동을 떠올려보면 그가 지식을 중개해서 돈을 벌었다는 결론에 쉽게 도달할 수 있다. 그러나 그의 말을 지식과 정보 분야에 투자하라는 조언으로 받아들여서는 안 된다. 그렇게 해석하는 것은 단견이다. 그보다는 오히려 자신의 지식을 끊임없이 넓히는 데 중점을 두라는 의미로 받아들여야 한다. 지식은 경제의 한 생산요소일 뿐 아니라 심지어 선진 경제에서는 가장 중요한 생산요소로 간주될 수 있기 때문이다.

자신에 대한 교육, 자식 교육, 기업의 노하우에 투자하는 것은 성공 가능성을 높여줄 뿐 아니라 언제나 새로운 길을 열어준다. 또한 지식은 행위의 가능성을 넓혀주고 혁신의 전제 조건을 창출하기도 한다. 그에 대한 모범이 바로 벤저민 프랭클린의 삶이었다. 그는 아메리카 식민지 당시 학문에 관심이 많은 사람들의 네트워크를 결성함으로써 그들이 정보를 교환하고 서로에게 자극이 되기를 기대했다. 미국이 세계에서 으뜸가는 경제 권력으로 부상하고, 미국의 대학과 연구진, 그리고 기술이 세계 최고를 자랑하는 것은, 지식에 대한 투자가 가장 큰 이윤을 남긴다는 정신에 뿌리를 두고 있다.

●● **키워드** 교육

---

**벤저민 프랭클린(1706~1790)** 미국의 자연과학자, 저술가, 사업가, 정치인. 프랭클린은 인쇄업으로 돈을 벌었다. 자신이 발행인으로 있는 신문에 직접 기사를 싣기도 했고, 『가난한 리처드의 연감』으로 미국 내에 널리 알려졌다. 정치인으로서 미국 13개 식민지를 하나의 주권 국가로 독립시키는 데 크게 기여했다.

---

013

# 성공의 80퍼센트는 자신을 드러내는 것이다

우디 앨런 Woody Allen

특별한 업적을 성취했지만 성공은 거두지 못했다고 한탄하는 경영자들이 적지 않다. 우디 앨런은 성공의 조건으로 '사람들에게 인지되는 것'의 의미를 높이 평가함으로써 자신이 말하고자 하는 바를 의도적으로 극단화시켰다.

이 말의 함축성에도 불구하고, 아니 바로 그 함축성 때문에 우디 앨런의 말은 논쟁을 불러일으킨다. 경험과 감정으로는 그의 말에 동의하지만, 희망과 이상이라는 측면에서는 속에서 반감이 꿈틀대기 때문이다.

이런 가운데 우디 앨런 자신이 성공을 향해 걸었던 과정을 보면 그의 말에 공감할 수 있는 열쇠가 보인다.

개그 작가로 출발한 우디 앨런은 곧 커다란 성공을 거두며 돈도 많이 벌었다. 그러나 전문가들 사이에서만 이름을 얻었을 뿐 대중에 알려지지는 못했다. 훗날 자신이 일구어낸 인물상과는 동떨어진, 무대 뒤의 그림자 역할이었던 셈이다. 그러다가 나중에 자신의 매니저가 된 두 남자의 충고에 따라 처음엔 내키지 않는 심정으로 스탠드업 코미디를 시작한 것이 성공을 위한 결정적인 계기가 되었다. 그로써 그는 자신의 내면에 숨어 있던 독보적인 유머 감각을 발견해내는 유쾌한 부수 효과와 함께 상당한 팬까지 확보하기에 이르렀다. 이후 그의 앞날은 탄탄대로였다. 우디 앨런은 대본작가로 변신했을 뿐 아니라 마침내 영화감독까지 되었다.

우디 앨런의 사례는 성공을 향한 많은 길들 가운데 하나를 보여주고, 아울러 성공을 얻는 방법까지 알려준다. 또한 우디 앨런의 말에서 우리가 어떤 교훈을 얻을 수 있는지에 대한 배경 설명이 되기도 한다.

'자신을 드러낸다는 것'을 어떤 분야나 기업의 현안 사건에 가능한 한 자주 모습을 드러내라는 뜻으로 이해해서는 안 된다. 거기에 재미를 들린 사람이라면 몰라도 말이다. 하지만 그런다고 해서 '성공의 80퍼센트'까지 기대할 수는 없다. 무언의 집단적 강요에 이끌려 눈도장을 찍을 목적으로 그런 자리에 참석하다 보면 결국 그러한 행위에 환멸을 느끼게 된다. 그런 자리에 참석하자마자 여기가 아닌 다른 곳에 있고 싶다는 생각이 들 것이기 때문이다. 그러다 보면 이런 의문이 떠오르기도 한다. 어떤 자리에 자신의 모습을 드러내겠다는 결정이 사업상 새로운 대인 관계를 맺거나 새로운 직장에 대한 희망에 뿌리를 두고 있었던 것은 아닌지. 그럴 경우 냉정하게 이렇게 대답해야 한다. 기회를 원했지만 목표를 이루지는 못했다고.

하지만 영화배우라면 어떤 영화제에서 이 파티, 저 파티로 바쁘게 옮겨 다니는 것이 배역을 따내는 데 얼마나 큰 기회가 되는지 알 것이다.

자신을 드러내라. 그것이 우디 앨런의 말에서 얻을 수 있는 가르침이다. 신상품을 도입하거나 관객이나 목표 집단의 반응을 경험하고 싶다면 당연히 그와 관련된 자리에 빠져서는 안 되고, 그렇게 함으로써 성공 가능성이 한층 높아진다. 중요한 것은 자신의 목표에 맞게 시간과 장소를 스스로 선택하는 것이다. 우디 앨런은 그렇게 했다.

●● **키워드** 성공, 경력

---

**우디 앨런(1935~)** 미국의 작가이자 영화감독. 유명한 영화로 〈애니 홀〉, 〈맨해튼〉, 〈한나와 그 자매들〉이 있다. 단편소설도 세계적으로 큰 성공을 거두었다.

---

014

# 열 번의 키스가 한 번의 키스보다 쉽게 잊힌다

장 파울 Jean Paul

이 말은 '무언가 특별한 것'을 위한 변론이다. 한 번의 키스는 그 자체로 항상 특별하기 때문이다. 하지만 잦은 키스는 아무리 아름답더라도 일상이 되고 만다. 물론 아름다운 일상이기는 하지만 말이다. 독일 작가 장 파울이 말하고자 하는 바는 첫 키스를 떠올려보면 너무나 분명해진다. 연인끼리의 첫 키스는 영원히 잊히지 않기 때문이다. 하지만 두 번째 키스부터는 어떨까?

이 말을 경영 문제와 관련시키면 첫인상 혹은 첫 만남이 중요하다는 뜻일까? 그럴 수 있다. 하지만 그뿐이 아니다. 아름답고 매력적인 요소를 임의적으로 거듭하면 긴밀한 애정은 생기지 않는다. 여기서는 특별한 상황의 횟수와 연출이 중요하다. 또한 특별한 상황을 매일 누리지 못하게 하고, 강제로 만들어낼 수 없게 하는 것도 중요하다.

따라서 이 말은 미디어와 온갖 자극적인 것이 넘치는 세계 속에서 광고, 즉 마케팅이 상품의 매력을 줄기차게 보여주는 것만으로는 성공할 수 없다는 인식으로 이어진다. 더 나아가 장기적인 성공을 위해서는, 소비자에게 상품의 특색을 전달하고 항상 새로운 매력 포인트를 강조하는 것만으로는 부족하다는 것을 알 수 있다.

지속적인 관계는 매력만으로는 형성되지 않는다. 거기에는 애정과 믿음, 신뢰도 함께 깔려 있어야 한다. 두 사람 간의 관계든, 기업과 고객 간의 사무적인 관계든 말이다. 그래서 한 번의 특별한 키스도 그 속에 애정과 믿음이 깔려 있지 않으면 효과를 잃게 된다.

•• **키워드** 마케팅, 광고

---

**장 파울(1763~1825)** 독일의 소설가. 본명은 요한 파울 프리드리히 리히터이다. 독특한 작품 세계로 문학사의 이단아로 취급된다. 그의 지나친 환상적 기법은 가끔 사건 진행의 테두리를 뛰어넘기도 한다. 대표작으로 단편소설 『종군 목사 슈멜츨레의 플래츠 여행』, 『마리아 부츠 선생의 즐거운 생애』와 장편소설 『가난한 변호사 지벤케스』, 『개구쟁이 시절』을 꼽을 수 있다.

---

015

# 계획은 쓸모없다 중요한 건 기획이다

드와이트 데이비드 아이젠하워 Dwight David Eisenhower

이 말은 아주 기발하다. 단 몇 마디로 중요한 조언을 담고 있을 뿐 아니라 비슷한 두 낱말이 내용상 얼마나 다를 수 있는지, 그리고 이러한 차이를 명확하게 인식하는 것이 얼마나 중요한지 지적하고 있기 때문이다.

이 말의 주인공은 대개 2차 대전 당시 히틀러가 이끄는 독일군을 무찌른 연합군 총사령관으로 유명한 아이젠하워 미국 대통령으로 알려져 있다. 하지만 이 말은 그 연원을 따져 올라가면 독일의 몰트케 육군참모총장과 맞닿아 있다. 아이젠하워 자신도 이 말을 일찍이 배운 군대 명언이라고 했다. 어쨌든 이 말의 원저자가 위대한 군전략가 몰트케이든 아니면 아이젠하워이든 간에 두 사람 모두 그런 명예를 안기에 손색이 없다는 점은 분명하다.

중요한 것은 '계획'과 '기획', 두 개념의 의미를 엄밀하게 구분하는 것이다. 아이젠하워는 계획을 기획과 다르게 보았다. 그렇다면 그 차이는 어디에 있을까?

이렇게 해석할 수 있다. 계획은 추구하는 상태에 도달하기 위한 과정을 대략적으로 설명한 것으로, 구체화되지 않은 목표와 비슷하다. 반면에 기획은 그 계획을 실행할 수 있도록 구체적인 행위나 작전을 수립하는 것이다. 실행과 그 조종 역시 기획 과정에 속한다.

아이젠하워의 직접적인 경험에서 두 개념의 명확한 차이가 드러난다. 그는 나치 독일군에 대한 승리라는 목표를 달성하기 위해 프랑스 상륙 작전을 감행할 계획을 세운다. 이후 그 계획을 세분화한 과정과 집행이 기획의 본질이다.

기획은 더없이 중요하다. 하지만 계획을 '쓸모없는' 것으로 여긴다면 기획도 기대할 수 없다. 그리되면 기획은 무모한 행동지상주의에 빠질 위험이 있고, 좌표 상실로 인해 무계획성의 나락으로 떨어질 수 있기 때문이다. 반면에 계획만으로 충분하고 기획은 포기할 수 있다고 생각한다면 실행 과정에서 극도의 곤경에 처할 수 있다.

아이젠하워가 하고 싶었던 말도 그것이다. 무언가를 마음먹는 것만으로는 부족하다. 계획에 맞추어 실행에 옮기는 것이 중요하다.

●● **키워드** 기획, 실행

---

**드와이트 데이비드 아이젠하워(1890~1969)** 미국의 장군이자 정치인. 2차 대전 당시 1942년부터 연합군 최고사령관직을 맡아 북아프리카와 이탈리아, 프랑스에서 상륙 작전을 지휘했다. 1952년에서 1960년까지 미국 34대 대통령을 역임했다.
워싱턴 국방관리 대책회의에서 행한 연설 중 이 말을 했다. "Plans are worthless, but planning is everything."

---

016

# 나는 예민한 대본작가이자 배우이자 감독이다 만일 나와 함께 일하고 싶다면 성가신 내 매니저에게 전화하시오

실베스터 스탤론 Sylvester Stallone

이 말에서는 무엇을 배울 수 있을까? 바로 분업이다.

람보라는 배역으로 전 세계인들에게 잔인한 전투 기계로 알려진 스탤론이 한 말이라는 점이 무엇보다 시선을 끈다.

그의 말은 직업 세계에서 특별한 행동 양식을 지적하고 있다. 즉 특정 분야에서 특별한 재능과 최고의 능력을 갖춘 사람에게 그 분야의 업무 처리를 전적으로 맡기면 그에 따른 장점이 많다는 것이다.

아무리 다방면으로 재능이 많아도 혼자서 모든 걸 다 처리할 수 있는 사람은 없다. 그래서 자신이 할 수 없는 영역을 깨닫는 것은 인생에서 아주 중요한 과제이다. 게다가 '할 수 없는 것'이 '하고 싶지 않은 것'과 일치하는 경우도 드물지 않다. 결국 중요한 것은 이런 깨달음을 토대로 자신이 잘할 수 있는 일에만 오롯

이 집중하는 것이다.

그럼에도 해결해야 할 수많은 까다로운 과제들 때문에 고생하는 사람들이 많다. 자기관리에 철저한 사람이라면 이런 과제들은 타인에게 완전히 맡겨버린다. 그렇다고 아무에게나 맡기는 것이 아니라 그 일을 가장 잘 처리할 수 있는 사람에게 맡긴다.

스탤론은 자신의 성공에 엄청나게 중요한 역할을 한 사람을 '성가신 매니저'라고 불렀다. 그는 이 매니저가 자신을 위해 최상의 조건으로 최고의 프로젝트를 마련해주리라 믿어 의심치 않는다. 그런 믿음이 있기에 그는 조용히 자기가 잘할 수 있는 일에 집중한다. 즉 마음 편하게 대본을 쓰고 연기를 하고 영화를 찍는 것이다.

●● **키워드** 분업, 전권 위임, 지도력, 협상

---

**실베스터 스탤론(1946~)** 미국의 영화배우, 대본작가, 영화감독. 자신이 직접 대본을 쓴 권투 영화 〈록키〉로 일거에 스타로 떠올랐다. 이 영화에서 섬세한 인물 묘사로 많은 찬사와 상을 받았지만, 〈록키〉 속편과 베트남전 영웅을 다룬 〈람보〉에서 애국주의를 지나치게 드러내기도 했다.

---

017

# 지도자는 전문가의 조언과 반대로 행동할 용기가 있어야 한다

제임스 캘러핸 James Callaghan

전문가의 말을 듣지 않을 거라면 전문가는 왜 필요한가? 하지만 이런 반문도 가능하다. 전문가의 말만 들어야 한다면 지도자는 왜 필요한가?

전 영국 총리 제임스 캘러핸의 말은 전문가와 지도자 사이의 결정적인 차이뿐 아니라 경영 과정에서 없어서는 안 될 두 가지 중요한 역할을 가리키고 있다. 성공을 위해선 어느 것 하나도 포기할 수 없다.

고문 혹은 전문가는 어떤 과제의 실태를 자신의 영역에서 정확하게 파악해서 제삼자에게 올바르고 쉽게 전달함과 동시에 해결책까지 제시할 의무가 있다. 그런데 전문가는 시야가 아무리 넓다 해도 전체 과제의 일부만 인지하고, 자기 관점에서 벗어나기 어렵다. 마케팅 전문가는 기업의 모든 문제에서 항상 시장과 고객을 우선하여 주목하고, 회계 담당자는 동일한 문제를 수익성의 차원에서 비용 절감이 가능한지 따져본다. 또한 생산 파트의 전문가는 최상의 상품을 만드는 데에만 열중할 뿐 시장이나 비용에 대해서는 별로 생각하지 않는다.

그러나 캘러핸이 언급한 '지도자'나 경영자의 입장은 다르다. 국가나 기업 내의 모든 입장을 총체적으로 조정해서 최선의 결과로 이끌어내는 것이 그들의 과제이다. 이들은 일개 마케팅 부서나 회계 혹은 생산 부서를 넘어 수많은 전문 영역에서 올라온 다양한 충고들을 모두 고려해야 한다.

훌륭한 지도자의 진면목은 모든 부서의 조언들을 모아 최종적으로 분명하고 확고한 결정을 내리는 데 있다. 물론 그런 결정이 모든 전문가들을 만족시키지는 못한다. 하지만 앞서 말한 대로 지도자는 일개 부서의 판단에 얽매이지 않고 전체를 바라보며 무엇을 우선해야 하는지 고민해야 한다. 전문가는 그럴 필요도, 그럴 책임도 없다.

●● **키워드** 분업, 결정, 지도력, 프로젝트 관리, 실행

---

**제임스 캘러핸(1912년~)** 영국의 고위 정치가. 노동당 소속의 캘러핸은 재무부 장관과 내무부 장관, 외무부 장관, 그리고 총리(1976~1979년 재임)까지 두루 역임한 영국의 유일한 정치인이다.

이 말은 월간지 《하버드 비즈니스 리뷰》(1986년 11월 1일)에서 인용했다. "A leader must have the courage to act against an expert's advice."

---

018

# 음악이 없으면 꿈도 없고, 꿈이 없으면 용기도 없고, 용기가 없으면 성취도 없다

빔 벤더스 Wim Wenders

여기서 '음악'이라는 말은 단순히 음악 자체를 가리키는 것이 아니라 그 이상의 의미를 담고 있다. 즉 음악은 정신 속에 존재하는 자유의 상징이자, 자신에 대한 몰입을 넘어 자신에게 이르는 능력과 가능성을 상징한다. 이 말은 최소한 생각 속에서는 순간적으로 세계와 하나가 된다는 것을 의미한다. 자신의 중심에 이르는 길은 개인마다 다르다. 독일의 영화감독 빔 벤더스는 항상 음악을 통해, 또 그로써 인식된 꿈을 통해 자아의 중심에 이르는 길을 발견했다.

여기서 꿈은 잠잘 때 꾸는 꿈이 아니라 길을 제시하고 구체적인 목표가 될 수 있는 '비전'이다. 그것도 단순한 전망에 그치지 않고 해결책도 될 수 있는 비전이다. 그런 점에서 꿈은 행동과 성취로 나아가도록 용기를 주는 생각이다.

빔 벤더스의 연상 고리에서 특히 눈에 띄는 점은 그 고리의 시작이다. 그 시작이 바로 성취의 이상적 근원이기 때문이다. 성취의 이상적 근원은 타인의 의지에 있는 것이 아니라 자아의 중심에 있다. 창조적 의지의 근원은 꿈에 있을 때가 많고, 꿈은 자아의 심원에서 생겨난다. 내적 평온과 균형을 얻는 순간 자신의 꿈이 눈앞에 투명하게 드러나고, 그 후에 일을 시작할 용기를 내게 된다.

빔 벤더스에게 꿈을 통해 용기로 이끌고, 그 용기를 통해 성취로 이끈 것은 바로 음악이었다. 이 고리의 시작을 찾아내는 것은 각자의 몫이다.

●● **키워드** 동기 부여, 자기관리

---

**빔 벤더스(1945~)** 독일의 영화감독. 빔 벤더스 감독의 영화에서 카메라 렌즈는 극도로 절제된 평온함 속에서 사건과 주인공들을 관찰한다. 한 장면을 길게 촬영하는 롱테이크 기법과 의도적으로 천천히 진행시키는 이야기 리듬이 빔 벤더스 영화의 특징이다. 그의 영화는 '보는 법'을 가르치는 일종의 입문서이다. 주요 작품으로 〈베를린 천사의 시〉와 〈파리 텍사스〉, 그리고 다큐멘터리 영화 〈부에나 비스타 소셜 클럽〉이 있다.

---

019

# 창조할 수 있는 사람은 드물고, 그럴 능력이 없는 사람은 무수하다 따라서 더 강한 쪽은 후자이다

코코 샤넬 Coco Chanel

여기서 '창조할 수 있는 사람'이란 흔히 생각하듯 '디자이너'나 '예술가' 등으로 불리는 사람들만 가리키는 것이 아니다.

코코 샤넬은 분명 그런 사람들만 염두에 두었던 것이 아니다. 이 말에는 근본적으로 모든 사람이 중심에 있다.

그녀의 말은 무엇보다 팀워크를 겨냥하고 있다. 아울러 자신의 아이디어를 실천으로 옮길 줄 아는 사람과 논의될 아이디어에 대해 별로 아는 것이 없는 사람 사이의 갈등을 지적하고 있다. 여기엔 어떤 메커니즘이 작동할까?

무언가를 할 능력이 없는 사람은 보통 회의적인 태도를 취한다. 자신이 할 수 없는 일을 바라보기만 하고, 그 일을 능숙하게 잘 처리하는 사람들을 의심스럽게 생각한다. 이는 '배제되었다는 감정'에서 우러나는 지극히 자연스러운 반응이다. 일례로 사람들은 발명가나 기술자 혹은 창의력이 뛰어난 사람과 마주 앉아 있을 경우 대개 그 일에 정통한 무리에 속하고 싶어 한다. 아니 최소한 그 무리에서 배제되고 싶지 않고, 그들이 비밀스럽게 간직하고 있는 것처럼 보이는 지식의 일단을 함께 공유하고 싶은 것이 사람 마음이다.

그러나 남이 할 수 없는 일에 정통한 사람은 자기 분야에서의 성공과는 상관없이 주변인이 될 수밖에 없다. 그사이 대부분의 학문 영역은 한 테마에 대해 본질적인 부분까지 아는 사람은 항상 소수에 머물 정도로 극도로 세분화되었다. 이는 기업도 마찬가지다. 생각해보라. 기업 내에서 마케팅과 조직, 판매, 관리, 생산 과정을 두루 잘 아는 사람이 얼마나 되겠는가?

이런 사정을 잘 안다면 항상 다수 대중에게 커뮤니케이션의 초점을 맞추어야 한다. 다수에게 제대로 자신의 뜻을 전달하지 못하고, 자기 분야의 전문적인 처리 방식에 매몰되어 다수의 손을 잡지 못하면 어려움에 빠질 수밖에 없다.

●● **키워드** 분쟁, 관철, 아이디어, 변화

---

**코코 샤넬(1883~1971)** 프랑스의 패션 디자이너이자 사업가. 짧은 검은색 스커트로 패션의 혁명을 일으켰고, 여성용 바지와 투피스로 여성 패션계에 새바람을 불어넣었다. 샤넬의 유행 창조와 함께 여성들은 처음으로 남성과 동등한 스타일로 옷을 입을 수 있었다.

이 말은 1961년 8월 20일에 방송된 ABC 프로그램 〈디스 위크 This Week〉에서 인용했다. "Those who create are rare; those who cannot are numerous. Therefore, the latter are stronger."

020

# 유행은 새로운 것의 영원한 반복이다

발터 벤야민 Walter Benjamin

이 말을 달리 표현하면, 유행은 항상 어떤 식으로든 새롭게 느껴지지 않으면 유행이 아니라는 뜻이다. 하지만 여기서 말하는 '새로움'이란 지금껏 존재한 적이 없는 것을 의미하지 않는다.

우리는 종종 우리가 아직 알지 못했던 것에만 '새롭다'는 이름을 붙인다. 하지만 오래전에 새로웠던 것이 망각의 늪에 빠져 있다가 다시 현재로 돌아왔을 때 새롭다고 느낄 수도 있다. 발터 벤야민이 유행에 대해 근본적으로 정의하는 바도 그렇다. 유행은 새로운 것의 회귀이고, 창조적인 사람은 과거와의 대면을 통해 무한하게 창의력을 발휘할 가능성이 있다. 또한 그의 말은 아이디어를 찾는 과정에서도 아주 긍정적인 접근 방식에 대한 단서를 제공하고 있다.

창작 영역에서 큰 성공을 거둔 사람들이 동시대 동료들의 작품뿐 아니라 이전 시대 작품들을 치열하게 대면하면서 영향을 받았다는 사실은 더 이상 비밀이 아니다. 그래서 현대의 많은 위대한 화가들은 과거 거장들의 그림이나 기법에서 영감을 얻었고, 선행자들의 작업 방식을 꿰뚫고 있었다. 영화나 음악, 연극 같은 다른 영역도 마찬가지다. 그런데 창의력이 뛰어난 사람들은 대부분 자신의 영역에만 국한되지 않고 다른 영역의 메커니즘과 아이디어도 받아들이고자 노력했다. 일례로 바실리 칸딘스키는 음악의 음상(音像)과 감성적 분위기에서 초기 추상화의 모티프를 얻었다.

일반적으로 새로운 아이디어를 짜내고 고안하는 능력을 가리키는 창의성은 기존의 창작 틀 내에서만 생기는 것이 아니라, 아무리 오래된 아이디어라도 그것을 받아들여 의외의 방식으로 새롭게 조합하고 짜 맞추는 데서 나오기도 한다.

그래서 어떤 사람한테는 새로운 것으로 느껴지는 많은 아이디어들이 또 다른 사람에게는 낡고, 기껏해야 새롭게 잘 조합된 아이디어로 평가받는 것도 우연이 아니다. 그런 점에서 새롭다는 것은 상대적이다.

따라서 우리가 당대의 유행이라고 느끼는 것들 중에는 일반적으로 잊힐 수밖에 없을 정도로 오래된 것들이 많다. 그로써 과거의 것이 새로 태어날 수 있다. 아니, 좀 더 엄밀하게 말하자면 새롭게 경험되는 것이다. 여성용 통굽 구두든 청량음료 취향이든, 혹은 자동차 색깔이든 말이다.

시장 조사와 상품 제조 과정에서 이러한 창의력을 발휘함으로써 과거의 성공 사례와 메커니즘, 영향 요소들을 분석해서 당대에 써먹을 수 있는 것을 찾아낼 수 있다. 예를 들어 고객에게 다가가는 방식이라든지 상품의 특성이라든지, 아니면 특별한 해결책을 발견하는 것이다.

• • **키워드** 현실성, 기회, 아이디어, 혁신, 창의성, 시장 조사, 상품

---

**발터 벤야민(1892~1940)** 독일의 저술가, 문학비평가, 철학자. 벤야민은 날카로운 문학평론으로 유명해졌고, 나중에는 보들레르와 프로스트의 작품을 번역하기도 했다. 파리에서 망명 생활을 하면서 문화와 예술비평에 관한 대표적인 저서 『기술복제시대의 예술 작품』을 썼다.

---

021

# 쓸 만한 것은 이미 다 나왔다 우리가 할 일은 그에 대해 한 번 더 생각하는 것뿐이다

요한 볼프강 폰 괴테 Johann Wolfgang von Goethe

언뜻 보면 이 말은 "유행은 새로운 것의 영원한 반복"이라는 말의 변형처럼 보인다. 하지만 두 말 뒤에 숨은 뜻을 조곤조곤 비교해보면, 괴테의 말 속에는 과거의 해결책을 무시하지 말고 그것을 끊임없이 새롭게 조합해서 또 다른 슬기로운 실마리를 찾으라는 충고가 담겨 있다.

앞서 벤야민의 말, 즉 과거에 성공을 거두었던 새로운 것은 항상 돌아오기 마련이라는 말과는 달리, 괴테의 충고는 그 옛날 제출 단계에서부터 벌써 배척되었거나 아니면 실현되었더라도 끝내 실패했던 아이디어들에도 주목할 것을 지적하고 있다.

괴테의 말에서 끄집어낼 수 있는 결론은 이렇다. "그건 예전에 해봤지만 안 됐던 거야"라고 말하지 말고, "당시는 아직 때가 아니어서 그랬을 수도 있어", 혹은 "아이디어는 좋았지만 실행 과정에 문제가 있었을지 몰라" 하는 태도를 가지라는 것이다.

이런 사고 과정이 가리키는 것은 분명하다. 새로운 것은 이미 존재했던 것의 새로운 조합일 뿐 아니라, 과거에는 생각에만 머물렀던 것을 완전히 새로운 방식으로 접근해서 새롭게 조합하는 것이기도 하다.

기업도 마찬가지다. 과거에 성공했든 실패했든 상관없이 모든 형태의 프로젝트 아이디어들을 장기간 보관해두었다가 영감이 필요할 때마다 끄집어내서 다시 들춰보자. 괴테의 말에 따르면 단지 '한 번 더 생각해본' 것뿐인데도 기발한 아이디어를 찾을 때가 많다.

●● **키워드** 연구, 아이디어, 혁신, 창의성

---

**요한 볼프강 폰 괴테**(1749~1832) 독일의 시인, 극작가, 소설가, 정치가, 자연과학자. 장르의 경계를 자유롭게 넘나들면서 다방면으로 천재적 재능을 보인 독일의 문호. 주요 작품으로 서간체 소설 『젊은 베르테르의 슬픔』과 희곡 『파우스트』, 『이탈리아 기행』을 꼽을 수 있다.

---

022

# 옷을 입는 새로운 사람이 아니라 새로운 옷을 요구하는 기업은 모두 조심하라

헨리 데이비드 소로 Henry David Thoreau

이 말은 퍽 특이하면서도 다루기 쉽지 않아 보인다. 그런 면에서는 그 주인공도 결코 뒤지지 않는다. 이 말은 헨리 데이비드 소로의 책 『월든Walden』에 나오는데, 소로는 이 작품에서 소박한 삶과 자연과의 조화, 인간 의지의 관철을 성찰하고 있다. 그는 자그마한 월든 호숫가 숲 속에 오두막을 지어 몇 년 간 은둔하며 살았다. 물론 세상과 완전히 연을 끊지는 않았다. 그는 자연 속에서 정신뿐 아니라 경제적으로도 자립적인 삶이 가능하다는 것을 세상에 보여주고자 했고, 이런 사상과 경험을 담은 책 『월든』으로 20세기 '자연 회귀' 운동의 정신적 스승이 되었다.

자연에 대한 그의 날카롭고 세밀한 관찰은 책의 상당 부분에서 낭만적인 경향으로 흐르지만, 그 자체로 보면 준(準)학문적 성격에 가깝다. 그런 점에서 『월든』은 단순히 대안적 삶이나 자연의 낭만을 예찬한 책에 그치지 않고, 미국적 실용주의 정신을 관통하는 작품이다. 이 책에는 자연에서 어떻게 독립적으로 살 수 있는지 하나하나 꼼꼼히 설명되어 있다.

자주 언급되는 소로의 말은 주로 다음과 같이 축약된 형태로 표현된다.

"새로운 옷을 요구하는 기업은 조심하라."

그런데 소로가 원래 전하고 싶었던 메시지는 전체 문장에서 좀 더 정확하게 끄집어낼 수 있다. 그 메시지는, 새로운 과제를 해결하기 위해서는 덮어놓고 수단부터 바꾸는 것이 아니라 자신의 관찰 방식부터 먼저 검증해야 한다는 것이다. 소로의 말에서 '옷'은 '수단'과 동의어이다. 이어지는 문장도 그에 부합한다.

"새로운 인간이 없다면 어떻게 새로운 옷이 맞겠는가?"

따라서 소로의 말은 어떤 일을 하기 전에 가장 먼저 자신의 입장과 태도를 명확히 하라는 요구로 이해할 수 있다. 그런 다음에야 수단을 선택할 수 있다. 물론 이것이 모든 과제를 해결할 수 있는 만능 처방전은 아니지만, 충분히 생각해볼 만한 가치는 있다.

●● **키워드** 마음가짐, 자기관리, 변화

---

**헨리 데이비드 소로(1817~1862)** 미국의 소설가. 대표작 『월든』으로 세계적인 명성을 얻었고, 현대에 들어 자연과 더불어 살려는 사람들 사이에서 인기를 끌었다. 그의 책 『시민의 불복종』은 1960년대 시민운동의 정신적 원천이 되었다.
이 말은 『월든』의 첫 장 '경제'에 실려 있다. "I say, beware of all enterprises that require new clothes, and not rather a new wearer of clothes. If there is not a new man, how can the new clothes be made to fit?"

---

023

# 하나의 진실만 존재한다면 동일한 테마로 그렇게 많은 그림을 그릴 수는 없었을 것이다

파블로 피카소 Pablo Picasso

경영상의 문제를 해결하거나 신제품을 개발할 때 '하나'의 해결책에만 매달리다가 좌절하는 경우가 허다하다. 그러나 '삶의 모사(模寫)'로서 예술은 수천 년 전부터 동일한 문제에서도 항상 새로운 대답이 나올 수 있다는 사실을 증명해주었다.

파블로 피카소의 말에 어른거리는 깨달음, 즉 세계는 수없이 많은 진실로 이루어져 있다는 사실은 '인간'을 보면 가장 확실히 알 수 있다. 인간은 감정 세계나 인생 편력 면에서 각자 유일무이한 존재이다. 모든 인간이 다르고, 그런 면에서 자기 속에 자기만의 진실이 있다. 그래서 어떤 심리학자나 경제학자도 지금까지 소비자의 구매를 결정하는 동기에 대해 명확한 해답을 내놓지 못하고 있다. 마찬가지로 완벽한 기업이나 혁명적인 신상품에 대한 처방전 역시 존재하지 않는다. 다만 원칙적으로 힌트 정도만 있을 뿐이다.

회화에서 좋은 그림을 구성하는 특정 규칙으로 황금분할이 제시되어 있듯 경영 과정에도 일정한 규칙들이 존재한다. 하지만 피카소는 동일한 모티프를 항상 새롭게 변형하고, 때로는 어이가 없을 정도로 황당한 해결책을 제시함으로써 규칙들과 자유롭게 유희를 벌였을 뿐 아니라 새로운 분야를 개척하기 위해 규칙을 의도적으로 깨뜨리기도 했다. 따라서 해결책과 혁신 방안을 찾을 때 그 해답은, 하나의 테마 속에 담겨 있는 다양한 해법을 인식하고 그것을 새롭게 혼합하는 능력에 있다.

일례로 벤츠에서 선보인 '스마트'(주차 공간 확보와 유류비 절감을 위해 독일에서 고안된 최소형 자동차. 길이는 244센티미터, 무게는 730킬로그램에 불과하다 — 옮긴이)도 하나의 자동차이지만, 이전의 틀에 박힌 생각으로는 도저히 나올 수 없는 자동차였다. 자동차라는 전통적인 테마에 전혀 다른 가치관으로 접근해서 새롭게 표현했기 때문에 혁명적인 자동차가 탄생할 수 있었다.

따라서 올바른 경영 과정이나 신상품 개발에서 수많은 해답이 있다는 것을 알 때, 즉 '자동차는 원래 이래야 돼' 하는 생각을 버리고, 그것을 뒤집어야 할 도전으로 받아들일 때에야 새롭고, 경우에 따라서는 깜짝 놀랄 해결책이 나올 수 있다.

●● **키워드** 분석, 기회, 결정, 아이디어, 문제 해결

---

**파블로 피카소(1881~1973)** 20세기 미술에 가장 큰 영향을 끼친 스페인의 화가이자 조각가, 도예가로 관심 영역이 다양했다. 그의 방대한 작품 중에서 가장 유명한 작품으로 〈아비뇽의 아가씨들〉과 〈게르니카〉를 꼽을 수 있다.

---

024

# 내 책에 수학 공식이 있으면 판매 부수가 떨어질 거라고 누군가 말했다

스티븐 호킹 Stephen Hawking

1988년 영국의 물리학자 스티븐 호킹은 『시간의 역사』를 출간해서 일약 베스트셀러 저자로 떠올랐다. 빅뱅이나 블랙홀 같은 복잡한 물리학적 현상을 누구나 쉽게 이해할 수 있도록 풀이했기 때문이다. 하지만 그는 이 책에 공식은 쓰지 않았다. 공식이 책의 판매에 영향을 미친다는 호킹의 말은 상품의 성공 요소나 실패 요소를 분석할 때 하나의 중요한 기준이 될 수 있다. 그런데 여기 등장하는 공식이란 단순히 수학 공식을 의미하는 것이 아니라 이해하기 어렵거나 접근 불가능하거나, 혹은 복잡한 인상을 주는 모든 것을 가리킨다.

공식은 하나의 관련성을 추상적으로 표현한 것으로, 그 공식에 들어맞는 좋은 보기를 제시하는 것이 일반적이다. 하지만 공식은 해당 분야를 잘 아는 사람에게는 좀 더 빠르게 이해하는 훌륭한 수단이 되겠지만, 그렇지 못한 사람에게는 아득한 장벽이 되기 십상이다. 따라서 되도록 많은 사람이나 많은 고객의 마음을 얻고자 한다면 전문가들이나 쓰는 용어나 기호는 피하고, 일상적인 언어나 기호를 사용해야 한다. 이는 광고 문구나 선전 영상뿐 아니라 상품의 형상화 단계에도 해당된다.

그런데 호킹이 수학 공식을 책 판매를 저해하는 독으로 부른 것에 대해 오해를 피하기 위해 덧붙이자면, 수학 공식이 책에 아무런 도움이 되지 않는다는 뜻이 아니다. 다만 그런 책들은 해당 분야의 전문가들이나 그 집단에 끼고 싶어 하는 몇 백 명에게밖에 팔리지 않는다는 사실을 명심하라는 뜻이다.

호킹은 자신의 책 서문에서 밝힌 이 충고를 충실히 따랐다. 그래서 이 책에 실린 공식은 아인슈타인의 '$E=mc^2$'이 유일했다. 그것도 독자들을 두려움에 떨게 하지 않으려고 간결하게 주석만 다는 데 그쳤다.

●● **키워드** 마케팅, 상품, 판매, 시장성

---

**스티븐 호킹(1942~)** 영국의 물리학자이자 수학자. 한때 아이작 뉴턴이 역임한 케임브리지 대학의 유명한 루카스좌(座) 수학 교수를 지내기도 했다. 호킹은 1988년에 발표한 『시간의 역사』로 일약 세계적인 유명 인사로 떠올랐다.
이 말은 『시간의 역사』 초판 서문에 실려 있다. "Someone told me that each equation I included in my book would halve the sales."

---

# 지식은 능력이 되어야 한다

카를 폰 클라우제비츠 Carl von Clausewitz

"전쟁은 다른 수단으로 하는 정치의 연속이다."

프로이센의 장군 카를 폰 클라우제비츠의 가장 유명한 말이다. 이 말은 그의 군사 교본 『전쟁론』에 나오는데, "지식은 능력이 되어야 한다"라는 말도 이 책에 실려 있다. 클라우제비츠는 나폴레옹전쟁 이후 수 년 동안 이 책을 집필하다가 마저 끝을 내지 못하고 세상을 떠났다. 전략과 지도력의 교범으로 인정받는 이 책은 전 세계 군사 학교뿐 아니라 경영자 수업에도 적극 활용된다.

클라우제비츠가 전쟁에서 가장 중요하게 생각한 것은 계획 수립과 교육이었다. 전쟁 승리의 이런 전제 조건들은 따로 동떨어진 것이 아니라 서로 의존적인 관계였다. 일상적으로 무한한 정보의 바다에 내던져져 있는 이 시대에 경영자의 임무는 결정적인 정보 선택만이 아니다. 당시나 지금이나 가장 중요한 것은 자신이 얻은 지식을 무시하지 않고 일관되게 고쳐나가는 것이다. 이는 문제 해결이나 프로젝트 수행 과정에서 목표와 단계의 수정만을 의미하는 것이 아니라 무엇보다 획득한 지식을 장기적 관점에서 일상 업무에 적용하는 것을 의미한다. 또한 지식을 업무 과정에 적용할 때 어떤 지식이 가장 덜 이용되고 등한시되었는지 비판적으로 꾸준히 검증하는 자세를 뜻하기도 한다. 이러한 끊임없는 검증은 기업과 프로젝트, 그리고 문제 해결뿐 아니라 자기관리에도 도움이 된다.

그밖에 클라우제비츠가 이 말을 통해 하고 싶었던 바를 정리하면 이렇다. 지식은 행동으로 바꾸어야 하고, 그 정신과 의미가 더 이상 현실에 부합하지 않거나 켜켜이 먼지가 쌓인 책에나 나올법한 진실처럼 다루어져서는 안 된다는 것이다.

●● **키워드** 교육, 능력, 실행, 지식

---

**카를 폰 클라우제비츠**(1780~1831) 프로이센의 장군이자 군사 이론가. 나폴레옹전쟁 당시 아우구스트 프로이센 황태자의 전속 부관으로 근무했다. 참모장교이자 군사 학교 교관으로 활동했으며, 나중에 참모장이 되었다. 군사 이론을 다룬 『전쟁론』은 사후에 그의 부인에 의해 출간되었다.

---

026

# 연예계에서 신은 파멸시키려는 사람을 먼저 성공시켜준다

프랜시스 포드 코폴라 Francis Ford Coppola

여기서 '연예계'는 명예와 부를 약속하되 긴장감 넘치는 다른 분야로 얼마든지 바꾸어 생각할 수 있다. 예를 들어 학업을 마친 청년이 힘들게 유명한 기업 컨설팅 업체에 취직한 경우를 생각할 수 있고, 신경제의 호황기에 많은 젊은이들이 겪은 경험을 떠올려보아도 된다. 그때는 그들의 수입도 높았고 자부심도 대단했다. 하지만 그 다음에는? 일거에 모든 것이 끝나버렸다. 시작과 동시에 인생의 절정기가 지나갔다고 생각한 사람도 있고, 스스로를 추락한 아역 스타처럼 느끼는 사람도 있었다. 눈부신 성공 뒤에 찾아온 급격한 추락이었다.

미국의 영화감독 프랜시스 포드 코폴라의 말은 모든 직업에 통용되는 메커니즘, 즉 남들보다 훨씬 빨리 이룬 커다란 성공은 스스로 통제하기 어렵다는 점을 암시하고 있다. 그런 성공은 무엇보다 인간의 심리와 정신에 갖가지 위험 요소를 감추고 있기 때문이다.

이 말은 1977년 코폴라가 동료에게 보낸 쪽지에 적은 것이다. 5년 전 불과 서른셋 나이에 〈대부〉의 대대적인 성공으로 할리우드에서 누구도 넘보지 못할 새로운 스타 감독으로 떠오른 사람이 낭떠러지 앞에 서 있었다. 새 영화 〈지옥의 묵시록〉에 막대한 예산을 쏟아 부었지만, 영화는 완성될 기미를 보이지 않았던 것이다. 그렇게 코폴라는 나락으로 떨어질 절체절명의 위기에 빠졌다.

그의 예에서 알 수 있는 것은, 갑자기 정상에 오르게 되면 부족한 경험과 계속 선두를 지켜야 한다는 책임감으로 부담감도 덩달아 커질 수밖에 없다는 사실이다. 이른 성공은 스스로 통제하고 다스려야 한다. 내적으로 감당하고 추스를 준비가 되지 않았을 때 그런 성공이 덮치면 아득한 심연으로 추락할 위험이 언제나 상존한다.

그러나 코폴라는 좌절하지 않았다. 〈지옥의 묵시록〉은 결국 완성되었고, 또 한 차례 대대적으로 성공하면서 오늘날 고전의 반열에까지 올랐다.

눈부신 성공은 언제 깨질지 모르고, 높이 오를수록 그만큼 추락도 깊을 수 있다는 사실을 코폴라 역시 알고 있었을 것이다. 하지만 그는 그런 깨달음을 깊은 성찰로까지 끌어올리지는 못한 듯하다. 1982년 〈원 프럼 더 하트One from the Heart〉의 실패로 파산에 이르렀고, 이어 〈아웃사이더Outsiders〉와 〈럼블 피쉬Rumble Fish〉의 성공으로 당당히 재기했지만, 끝내 〈코튼 클럽Cotton Club〉으로

도산하고 말았다. 코폴라는 항상 오뚝이처럼 다시 일어났지만 누구나 코폴라가 될 수는 없다.

●● **키워드** 성공, 경력

---

**프랜시스 포드 코폴라(1939~)** 미국의 영화감독. 〈대부〉 1, 2편과 〈지옥의 묵시록〉은 영화사에 길이 남을 작품으로 꼽힌다.

---

027

# 더 높이 출세해서 더 큰 임무를 받는 사람은 덜 자유롭고 책임만 커질 뿐이다

헤르만 헤세 Hermann Hesse

이 말은 지극히 상투적으로 들린다. 그래서 머리를 설레설레 흔들며 그걸 모르는 사람이 어디 있느냐고 무시하듯이 말할 수도 있다. 하지만 단순히 그렇게 치부할 일이 아니다. 이 말을 돋보이게 하고, 관심을 불러일으키고, 훌륭한 충고로 만드는 부분은 바로 '덜 자유롭다'는 대목이다.

그런데 이 말을 한 사람이 헤르만 헤세라는 사실을 알면 처음에는 의아한 느낌이 들기도 한다. 하지만 개인주의를 신봉했던 그가 작가로서 차츰 명성을 얻어 급기야 노벨 문학상을 받고, 점점 여론의 중심에 서게 되고, 기대를 한 몸에 받았다는 점을 보면 그리 이상하게 느껴지지 않을 것이다.

이 말이 헤세가 한 말이라고 해도 메커니즘은 거의 비슷하다. 성공과 출세를 거머쥔 사람은 축하와 갈채, 그리고 질시를 함께 받는다. 성공한 이의 책임과 관련한 이런저런 충고도 당연히 뒤따른다. 지위가 높아질수록 사람들은 다음 두 가지를 퍼뜩 떠올리기 때문이다. 더 많은 '권력'과 더 많은 '책임'이 그것이다.

그러나 사람들이 모르는 것, 혹은 출세하고 성공을 거둔 사람도 잊어버리기 쉬운 것이 있다. 이른바 힘 있는 자리를 꿰차면 더 자유로워지는 것이 아니라 오히려 더 외롭고 막중한 책임감을 느끼게 된다는 사실이다. 일반적으로 출세를 하면 특권도 많이 누리게 된다. 예를 들어 공무 수행용 차가 나오고, 판공비와 여행 경비가 따로 지급된다. 또한 많은 일상 업무도 대리인들을 통해 빨리 처리할 수 있다. 이런 상황이라면 행동의 자유가 더 커질 것처럼 보이지만, 반대로 추가되는 새로운 의무와 강제가 더 많다. 더 높이 출세하고 더 큰 임무를 맡는다는 것은 다방면에서 새로운 기대를 받게 됨을 의미하고, 이런 기대는 더 큰 책임감과 밀접하게 연결된다.

●● **키워드** 경력, 권력, 책임

---

**헤르만 헤세(1877~1962)** 독일의 시인이자 소설가. 1946년에 노벨 문학상을 받았다. 주요 작품으로 『수레바퀴 아래서』, 『황야의 이리』, 『유리알 유희』, 『나르치스와 골트문트』 등이 있다.

---

028

# 사물을 어떤 식으로 포장하든 그 본질은 결코 바뀌지 않는다

스타니슬라프 예르지 레츠 Stanislaw Jerzy Lec

폴란드의 서정시인 스타니슬라프 예르지 레츠는 무엇보다 잠언으로 유명해진 사람이다. 이 말도 짧고 함축적인 잠언에 속한다. 이 말을 경영 일선의 과제와 연결시키면 한 사물, 예를 들어 팔아야 할 상품을 포장하고 표현하는 드넓은 영역과 만난다. 이 작업을 담당하는 곳은 각각 주안점은 다르지만, 영업부와 홍보부, 판매부이다. 이 세 부서는 긴밀한 협력하에 상품을 올바르게 드러내는 데 신경 써야 한다.

그러나 레츠의 문장에서 본질적인 내용은 따로 있다. 즉 상품을 올바로 드러내는 것은 상품으로 시선을 향하도록 주의를 환기시키는 수단일 뿐이라는 것이다. 최상의 마케팅도 상품을 올바르게 드러내는 목표 이상을 달성할 수는 없다. 상품의 형상화 단계까지 이르는 도구가 아무리 많다 한들, 결국 중장기적으로 고객을 붙드는 결정적인 요인은 상품의 본질과 핵심 아이디어, 기본적인 유용성, 품질일 수밖에 없다. 그럼에도 상품 개발 단계에선 경영진이 상품 포장과 표현에만 너무 매달리는 바람에 상품의 품질과 본질, 특성의 가공과 개선을 소홀히 할 위험이 상존한다. 이럴 경우는 기껏해야 단기적인 성공에 그치고 만다.

따라서 상품이 됐건 사람이 됐건 결정적인 요소는 본질과 특성이다. 그 부분이 제대로 되어 있지 않으면 결코 고객의 마음을 얻지 못한다. 사람 대 사람이건, 고객 대 상품이건.

●● **키워드** 소통, 마케팅, 상품, 문제 해결

---

**스타니슬라프 예르지 레츠**(1909~1966) 폴란드 시인. 촌철살인의 경구로 국제적인 명성을 얻었다.

---

029

# 모든 예술가의 99퍼센트는 죽기 10분 전에 잊힌다

에드워드 호퍼 Edward Hopper

미국의 화가 에드워드 호퍼의 이 단언이 사실이라면 유명한 경영자들은 어떨까? 그들의 상황도 별반 다르지 않다. 생각해보라. 부문에 관계없이 올해의 경영자로 뽑힌 사람을 이듬해까지 기억하고 있을 사람은 많지 않다. 이를 아이러니한 방식으로 극단화하면, 기자들 사이에서는 이런 우스갯소리가 회자된다. 올해의 경영자로 선출되는 것은 최고의 순간이 끝나간다는 가장 명백한 신호라고.

이제 진지하게 생각해보자. 환상을 깨뜨리는 호퍼의 단언에는 명사(名士)도 피해갈 수 없는 인간사의 덧없음에 대한 고소함이 아니라, 사물이든 인간이든 삶의 과정에서 얼마나 빨리 잊히는지에 대한 안타까운 통찰이 담겨 있다. 만일 예술가의 99퍼센트가 죽기 10분 전에 잊히는 게 사실이라면 기업인들은 어떨까? 소위 잘나간다는 사람, 중책을 맡았거나 맡고 있는 사람은 다른 이들의 기억 속에 얼마나 남아 있을까? 수습사원을 비롯해서 수위와 직원들까지 친근하게 인사할 정도로 사내에서 모르는 사람이 없는 고위 인사는 어떨까? 그의 비중은 얼마나 지속될까?

한 회사에 근무하는 기간이 점점 줄어드는 요즈음, 사내의 자질구레한 기술 장비를 손봐주는 기술자들이 해외로 출장을 다니는 최고위층보다 오히려 사람들의 뇌리에 더 강하게 오래 남아 있는 것이 사실이다. 지금 자신이 중요한 자리에 앉아 있다고 생각하는 사람일수록 그 점을 분명히 알고 있어야 한다. 늦어도 그 직책을 그만두었을 때는 말이다. 회사에서 얼마나 중요한 일을 맡았든 상관없이 퇴직하고 일주일만 지나면 전화벨이 얼마나 드물게 울리는지 실감하게 될 것이다.

●● **키워드** 성공, 경력

---

**에드워드 호퍼(1882~1967)** 미국 화가. 외로운 도시의 형상과 풍경을 묘사한 그림으로 유명하다. 대표작으로 〈밤샘하는 사람들〉과 〈주유소〉 등이 있다.

---

030

# 상냥하게 말로만 할 때보다 무기를 들고 상냥하게 말할 때 훨씬 많은 것을 얻을 수 있다

알 카포네 Al Capone

같은 말이라도 누가 했느냐에 따라 다르고, 그 말이 말한 사람의 비중과 일치한다는 사실은 이 말에도 정확히 해당된다. 물론 씁쓸한 뒷맛은 남지만 말이다.

1920년대 시카고의 뒷골목을 주름잡았던 갱단의 보스 알 카포네가 한 이 말은 그 자신과 너무나도 잘 어울린다. 그런데 이 말을 경영 일선에 적용하면 어떤 충고를 얻을 수 있을까? 군사력으로 무장이라도 하라는 말일까? 터무니없는 소리다. 이 말이 '힘'을 강조하고 있기는 하지만, '자기주장의 관철'도 이 말이 지닌 또 다른 핵심 내용이기 때문이다.

사람들 간의 관계에서 존재하는, 추상적이면서도 구체적인 힘으로서의 권력은 모든 사람이 어떤 식으로든 맞닥뜨릴 수밖에 없는 도전이다. 힘은 이해를 관철하는 가장 효과적인 도구이기 때문이다. 알 카포네에게 그 힘은 무기였다. 우리는 이웃 간의 다툼이건 계약이나 협정을 체결할 때건 항상 좋은 말로 합의가 끝나기를 바라지만, 일이 꼬일 경우에는 어떻게 해야 할까?

근로 계약이든 물품 인도 계약이든, 아니면 공사 계약이든 온갖 형태의 상업적 계약에 알 카포네의 말을 적용해보자. 갑자기 계약 당사자들 간의 이익 상충으로 분쟁 위험이 생기고, 체결된 계약 내용의 순조로운 이행이 어려울 경우 그전까지 신뢰와 우호로 넘치던 관계도 더 이상 도움이 되지 않는다. 아니, 그런 상황이 벌어지면 대개 이전의 관계는 깡그리 소멸되기 마련이다. 이후부터는 보호책과 단호한 대처라는 방법밖에 남지 않는다.

그런 경우 아마 알 카포네는 상냥한 말로 대처하지는 않았을 것이다. 그러나 알 카포네이건 아니건 일이 꼬이거나 자신의 권리를 침해당했을 때는 상냥한 말보다 그 권리를 지켜주는 보호

---

**알 카포네(1899~1947)** 미국의 갱단 두목으로, 1920년대 시카고의 암흑계를 휘어잡았다. 불법 술집 운영과 매춘, 보호비 명목의 상납금, 도박 등으로 돈을 벌었고 다른 갱단과의 전쟁 중에 발생한 수많은 살인의 배후 인물로 지목되었다. 1931년에 탈세 혐의로 체포되었다.

이 말의 원문은 이렇다. "You will get more with a kind word and a gun than with a kind word alone." 자주 인용되는 이 말은 1987년에 개봉된 영화 〈언터처블The Untouchables〉에도 나온다. 또한 파리드 자카리아가 2003년 3월 24일자 《뉴스위크》의 기사 「오만한 제국」에서 이 말을 언급했는데, 미 국방부장관 도널드 럼스펠드도 이 말을 즐겨 쓴다고 지적하면서 세계를 이끄는 민주 지도자의 태도가 갱단 두목의 태도와 같아서는 안 된다는 점을 강조했다.

---

책과 단호한 수단만이 도움이 된다. 일반인과 기업인들에게 그것은 법이다. 국가가 인정하는 요건을 갖춘 계약과 협정이라면 말이다. 따라서 계약서를 꼼꼼하게 따지고 그로써 자신의 권리를 지키는 것이야말로 개인적 영역에서나 상업적 영역에서 책임 있는 행동이다. 그렇게 우리는 알 카포네에겐 무기였던 것, 즉 자신의 이익을 지켜줄 힘을 얻을 수 있다.

•• **키워드** 분쟁, 협상, 계약

031

# 시대정신을 쫓는 사람은 유행에 뒤처질 수밖에 없다

비비안 웨스트우드 Vivienne Westwood

신상품을 개발하거나 새로운 캠페인을 펼칠 때 아이디어를 짜서 실행에 옮기는 매 단계마다 성가신 파리처럼 윙윙거리며 쫓아다니는 것이 있다. 바로 시대정신이다. 하지만 "요즘 사람들은 다 이래!" 혹은 "이게 최신 유행이야!" 하는 말을 아이디어의 근거로 삼을 경우에는 항상 조심할 필요가 있다. 원칙적으로 최신 유행에 따른다는 것은 괜히 시끄러운 소리가 나는 곳으로 뒤쫓아 가는 행동과 다르지 않기 때문이다.

영국의 유명한 패션 디자이너 비비안 웨스트우드는, 무엇보다 항상 새로운 길을 추구하고 사람들이 생각하지 못하는 의외의 스타일을 선보이는 창의성으로 이름을 날렸다. 웨스트우드의 말은, 변화와 유행의 속도가 점점 빨라지고 그와 함께 상품 주기까지 점점 짧아지는 분위기를 생각하면 시사하는 바가 크다.

상업적 성공을 위해 유행을 이용하려는 시도는 점점 모험으로 변해가고 있다. 사람들이 뛰어오르려는 기차의 속도가 점점 빨라지면서 기차에 탑승하는 위험도 한층 커지고 있기 때문이다.

그렇다면 이제 두 가지 선택만이 남는다. 유행을 뒤쫓음으로써 시대에 맞출 것이냐, 아니면 스스로 새로운 자극을 던져 대중적 흐름과 구분할 것이냐? 여기서 비비안 웨스트우드는 후자를 선택했다. 이를 두고 혹자는 "아무렴, 당연하고말고! 비비안은 유행 창조자잖아! 그런 사람한테는 다른 선택의 여지가 없지" 하고 말할 수도 있지만, 그건 너무 쉽게 생각한 것이다. 꾸준히 유행을 선도하는 능력은 다른 직종과 부문에서도 마찬가지로 독자적인 혁신 능력과 깊은 관련이 있기 때문이다. 남의 것을 복사만 하고 흐름에 묻혀 움직이는 사람은 언젠가는 그 물살에 씻겨 내려가고 말 것이다.

•• **키워드** 혁신, 창의성, 광고

---

**비비안 웨스트우드(1941~)** 영국의 패션 디자이너. 1971년 런던에서 처음으로 부티크를 열었고, 1970년대 중반 이후 펑크와 뉴웨이브 시기에 인기를 끌었다. 당시 웨스트우드는 펑크 그룹 섹스 피스톨즈의 매니저였던 말콤 맥라렌의 연인이자 사업 파트너였다. 그녀는 가게 이름을 '섹스'라고 바꾸었고 섹스 피스톨즈 멤버들은 그녀가 만든 옷을 입었다. 비비안 웨스트우드는 오늘날까지도 패션계에 아방가르드한 영감을 주는 대표적인 디자이너이다.

---

032

# 사람들은 운전자로서 자신의 능력을 과대평가하는 경향이 있다

미하엘 슈마허 Michael Schmacher

F1 세계자동차경주대회에서 슈마허만큼 여러 번 우승한 사람은 없다. 그는 완벽에 대한 강한 집착과 목표를 향한 불굴의 정신으로 불안하기 짝이 없었던 페라리 팀을 난공불락의 부대로 만들었다. 이러한 성공에는 카레이서로서의 탁월한 운전 실력 외에 차량의 세세한 기술적 부분까지 꾸준히 개선하는 그의 세심함이 큰 몫을 했다. 이런 배경을 알고 나면 슈마허의 말은 이렇게 해석할 수 있다. 기술 분야에서 완벽을 기한 결과 인간(이 경우는 운전자이다)이 자신의 가능성과 능력을 너무 높게 평가해서, 자신도 모르게 스스로의 한계를 넘어서도록 유혹을 받는다는 것이다. 그렇게 보면 슈마허의 말은 고도로 발달한 과학 기술의 능력을 믿고 인간 능력의 한계를 잊어버리는 태도에 대한 경고로 읽을 수 있다.

물론 슈마허의 말을 다른 식으로 해석해서 지도력 문제에 적용할 수도 있다. 경주용 차의 운전자이건 경영 일선의 부서장이건, 기술자나 팀의 동료 등 다른 사람이 성공에 기여한 부분을 너무 쉽게 간과한다는 것이다. 이것저것 따져보았을 때 지도력이 결정적인 역할을 했다고 하더라도 그것 하나만으로는 결코 성공에 이를 수 없다. 만일 슈마허가 장 토트 단장이나 로스 브론 기술지원 팀장같이 탁월한 사람들을 믿지 않았더라도 그렇게 여러 번 세계선수권대회를 제패할 수 있었을까?

더 나아가 이는 지도자 위치에 있는 사람들에게 한 가지 가르침을 준다. 한 집단의 고위층, 즉 선두에 선 사람들은 제대로 된 팀원들을 끌어 모아 적재적소에 투입할 줄 알아야만 빛나는 성공을 거둘 수 있다는 것이다.

●● **키워드** 전권 위임, 지도력, 팀

---

**미하엘 슈마허(1969~)** 독일의 자동차 경주 선수. F1 역사상 가장 뛰어난 선수로 꼽힌다. 이 대회에서 7번이나 우승컵을 안았다.

---

033

# 서툰 지식만큼 사람을 의심스럽게 만드는 것은 없다

프랜시스 베이컨 Francis Bacon

어떤 사물에 대해 잘 모르거나 아는 것이 전혀 없으면 사람들은 거리감을 느낀다. 거리감이 느껴지는 사물에 대해서는 불신이 싹틀 때가 많다. 왜냐하면 그런 낯선 사물들과 함께 자신이 통제할 수 없는 어떤 것, 혹은 무언가 불쾌한 일이 닥칠까 봐 염려하기 때문이다.

철학자이며 작가이자 정치인이었던 프랜시스 베이컨은 영국 엘리자베스 1세 치하에서 살았는데, 1626년 세상을 떠날 때까지 현대 학문의 확립에 결정적인 역할을 했다. 당시까지만 해도 지식은 아직 비체계적인 형태로 축적되어 있었는데, 베이컨이 지식 수집에 확고한 체계를 주창했던 것이다. "아는 것이 힘이다"라는 유명한 말도 그가 남긴 말이다.

베이컨의 말들은 지식을 다루는 문제에서 아주 중요한 단서를 제공한다. 상호 소통에서는 항상 상대에게 중요한 정보를 숨기고 있다는 인상을 주지 않도록 신경 써야 한다는 것이다. 고객이 알고 싶어 하는 상품 정보도 그렇고, 기업 내의 부서들끼리 주고받는 정보도 마찬가지다. 만일 적절한 정보를 제공받아야 할 사람이 의도적이건 아니건 제공자가 뭔가 숨기고 있다는 인상을 받으면 기대했던 반응을 보이지 않을 가능성이 크다. 예를 들어 고객이라면 구매를 망설이고, 회사 내의 부서라면 기대와 정반대의 행동을 보인다. 이는 모두 불신에서 유래하고, 불신은 '아는 것이 없기 때문'에 생겨난다. 여기에는 제공자가 무언가를 숨기고 있다는 가정이 깔려 있다. 그래서 지식을 전달하는 사람은 무엇보다 상대에게 신뢰를 주는 데 초점을 맞추어야 한다.

●● **키워드** 소통, 위기, 상품, 프로젝트 관리, 광고, 지식

---

**프랜시스 베이컨**(1561~1626) 영국의 정치가, 저술가, 철학자. 탁월한 에세이와 근대 학문 이론 및 실천에 관한 저술로 서양 사상 전반에 큰 영향을 끼쳤다.

---

034

# 컴퓨터가 마음에 안 드는 이유는 '예', '아니요' 라고만 대답할 뿐 '혹시' 라고는 대답할 줄 모르기 때문이다

브리짓 바르도 Brigitte Bardot

컴퓨터에서 정보 가공의 원칙은 이진법에 토대를 두고 있다. 모든 기호는 '0'과 '1' 두 수로 이루어져 있는데, 이러한 이진법적 논리는 결국 '예', '아니요'의 선택과 다르지 않다. 컴퓨터는 개연성의 형식으로 대답한다. 다시 말해서 어떤 질문에 수치로 답변하는 것이다. 예를 들어 60퍼센트 확률로 무언가를 하지 말라고 충고하거나, 아니면 40퍼센트 확률로 무언가를 하라고 권장한다. 그렇다면 이것이 '혹시'라는 차원의 대답일까?

결국 대답을 하는 것은 컴퓨터가 아니라 컴퓨터 사용자이다. 사람이 대답의 가치를 평가하기 때문이다. 컴퓨터 사용자는 컴퓨터가 아니라 사람을 위해 작업한다. 사람은 대답을 필요로 하고, 사용자는 사람을 위해 컴퓨터가 '예', '아니요', 또는 '혹시' 라고 대답했는지 결정 내린다. 이런 측면에서 브리짓 바르도의 말은 경영 과정상의 여러 어려움에 대해 시사하는 바가 크다. 좀 더 깊이 생각해보면 그녀의 말은 도구와 보조 수단들이 아무리 뛰어나더라도 마지막에 결정을 내리는 것은 언제나 '사람'이라는 사실을 지적하고 있기 때문이다. 명확하게 '예'와 '아니요'로 대답하는 것이 불가피한 경우에도 인간이 내리는 '혹시'라는 대답이 중요할 때도 많다. 언제 무엇을 말할 것인지는 개인의 판단과 책임에 달려 있다.

브리짓 바르도가 말한 컴퓨터에 대한 불쾌감을 경영 영역으로 원용하면, 의심의 여지가 없는 연구 결과(컴퓨터에 근거한 결과일 수 있다) 하나에만 의지해서 경영상의 결정을 내리는 것은 위험할 수 있다는 의미로 볼 수 있다.

경영자들은 미래에 대한 의사 결정을 내릴 때 기계와 자료들에만 근거해서 '예' 혹은 '아니요'라고 명확하게 결론 내릴 때가 너무 많다. 그것이 객관적 자료에 대한 선의의 믿음이건 아니면 순수한 이용의 차원이건, 바르도의 말은 '예'와 '아니요'라고 결정을 내릴 때라도 여전히 인간에게 남아 있는 판단의 여지를 잊어서는 안 된다는 요구로 이해해야 한다. '혹시'라는 가정은 인간의 창의력을 더욱 풍부하게 하기 때문이다.

●● **키워드** 결정, 도구, 창의성, 프로젝트 관리

---

**브리짓 바르도(1934~)** 프랑스 영화배우. 1950년대에 출연한 많은 영화들을 통해 세계적인 섹스 심벌로 떠올랐다.

---

035

# 무엇이 정신적 분위기를 진공 상태로 만드는가? 개인의 고유한 특색을 허용하지 않는 것이다

게르하르트 하우프트만 Gerhart Hauptmann

독일의 위대한 작가 게르하르트 하우프트만은 이 말을 통해 조직과 리더십에 대한 아주 흥미로운 핵심 문제를 지적하고 있다. 분업 실시 이후 노동 과정을 계획하는 단계에서 두 영역 간의 두드러진 긴장 관계가 나타난다. 개개인이 지닌 개성적 장점의 계발과 비용 절감 차원에서 불가피한 생산 공정상의 표준화가 그것이다. 기업들이 순수 경제적 이유에서 매달리는 노동 과정의 표준화 계획은 인간의 창의성에서 나올 수 있는 노동 결과와 상호 작용한다.

정신의 적극적 활동, 즉 '창의성'의 아성은 대개 인간 속에 내재하는 지극히 개인적인 부분과 개개인의 고유한 특성에 뿌리를 두고 있다. 웬만한 조직이라면 일정한 규범화는 어쩔 수 없겠지만, 기업의 성공에 결정적인 역할을 하는 것은 직원들에게 허용한 자유이다. 성공의 비밀은 전체를 위한 규칙과 개인을 위한 자유 공간 사이의 균형이다. 누구나 이런 지적에 공감하겠지만, 실제 경영 일선에서는 직원들의 자유가 등한시될 때가 많다.

사원의 개성을 충분히 허용하지 않을 경우 많은 팀과 부서, 혹은 기업은 스스로 막대한 자원을 박탈하는 것이나 다름없다. 그렇다면 '고유한 특성을 살린다'는 것은 무슨 의미일까? 사원이나 동료의 장점을 북돋우고 활용하는 것을 뜻한다. 또한 개인의 단점을 문제시하지 않고, 완화시키고 받아들인다는 의미이기도 하다.

하우프트만이 "개인의 고유한 특색을 허용하지 않는 것"이라고 지칭한 것은, 다양한 직책의 많은 사람들이 대개 어떤 행동을 하기 전에 상사에게 시시콜콜히 물어보고 허락을 구하면서 자기도 모르게 타율성을 내면화하는 것을 의미한다. 계속 그러다 보면 언젠가는 자신의 고유한 면을 잊어버리고, 남에게 구속되고, 정신의 진공 상태로 캡슐화되고 만다. 따라서 그의 말은 그런 상황을 초래할 수 있는 영향을 경계하라는 뜻을 담고 있다. 기업 내의 관료주의적 분위기, 기업 특유의 집단적 강요, 혹은 인간의 고유한 특색을 파괴할 수 있는 위험을 내포한 모빙Mobbing (직장 내 동료에게 가하는 집단적인 정신적·심리적 테러, 억압, 따돌림 — 옮긴이)이 그런 영향들이다. 이런 현상이 팽배하면 창의성과 혁신은 물거품이 된다.

●● **키워드** 지도력, 정체성, 창의성, 조직화, 팀

---

**게르하르트 하우프트만(1862~1946)** 독일의 시인, 극작가. 『직조공』, 『비버 모피』, 『들쥐들』 같은 대표적인 희곡으로 문학사의 한 페이지를 장식했다. 그밖에 서정시 여러 편과 에세이, 소설 등을 썼으며, 1912년에는 노벨 문학상을 받았다.

---

## 036

# 잘 조직된 국가에서는 결코 범죄와 공적이 상쇄되어서는 안 된다

니콜로 마키아벨리 Niccolò Machiavelli

이탈리아의 국가이론가 마키아벨리가 이 말에서 국가에 요구하고 있는 것은 기업이나 한 팀에도 적용될 수 있다. 마키아벨리의 말에서는 무엇보다 '잘 조직된'이라는 표현에 주목해야 한다. 이 말은 '경직된 체제'라는 의미가 아니라 인간 공동체의 규칙과 조건을 가리킨다.

공동체는 그 구성원들이 전체의 규칙과 질서를 따를 경우에만 조직화되고 유지될 수 있고, 그런 질서는 누구나 알듯 권리와 의무에 뿌리를 두고 있다. 하지만 개인들이 이러한 질서를 어기는 일은 피할 수 없다. 그럴 경우에 대비해 어떤 공동체든 제재, 즉 처벌을 준비해두고 있다. 일반적으로 규칙의 저촉은 곧바로 처벌로 이어지도록 제도화되어 있다.

그런데 이따금 이상한 반응을 관찰할 수 있다. 사회에 특별한 공적을 쌓은 사람이나 선한 행적으로 사회적 신망이 두터운 사람이 과오를 저질렀을 때 처벌하기 전에 그 사람의 업적과 공덕을 들먹이는 목소리가 곳곳에서 들려오는 것이다. 그렇다면 좋은 일을 많이 했다고 해서 법을 어길 권리가 있을까? 아니다. 피고인의 선한 행동을 잊어서는 안 된다고 옹호하는 사람들도 당연히 그렇게 대답할 것이다.

하지만 그 다음엔 이런 논리가 고개를 든다. 그의 공적을 감안하면 그렇게 가혹하게 처벌하는 것은 안 된다는 것이다. 심지어 이번만큼은 그냥 넘어가자는 주장까지 등장한다. 이로써 나쁜 행동을 선한 행동으로 상계하고, 범죄와 공적을 상쇄하려는 시도가 벌어진다. 하지만 이런 일은 일어나서는 안 된다. 이를 허용하게 되면 '잘 조직된' 공동체 형성은 까마득해지기 때문이다. 특출한 업적을 쌓았다고 해서 공동체의 규칙을 지켜야 하는 의무를 면제받을 수는 없다.

이것이 개인에게 의미하는 바는 이렇다. 규칙을 어기면 무사히 빠져나올 수 있다는 희망을 버려야 한다.

공동체에 의미하는 바는 이렇다. 사회적으로 주목받는 사람, 특히 공적이 많은 사람에게 특권을 허용해야 한다는 조건반사적 논리에 굴복하지 말아야 한다.

국가에 의미하는 바는 이렇다. 아무리 큰 업적을 세운 정치인이더라도 일반인과 똑같이 법의 테두리 안에서 행동해야 하고, 만일 법을 어기면 아무 조건과 변명 없이 결과를 수용해야 한다.

이 말을 경영 영역으로 환원하면 아무리 뛰어난 경영자라도 기업의 규칙을 지켜야 한다는 의미가 될 것이다. 아니, 오히려 그런 사람이기에 더더욱 규칙을 잘 지켜야 한다고 요구할 수 있다.

●● **키워드** 지도력, 규칙

---

**니콜로 마키아벨리(1469~1527)** 이탈리아의 정치이론가이자 작가. 피렌체 공화국의 공직에 몸담았다가 반란 혐의로 체포되었고, 감금과 고문 끝에 풀려났다. 시골 영지에서 유배 생활을 하면서 극작품과 문학작품, 역사서, 국가이론서들을 집필했으며, 특히 『군주론』으로 이름을 떨쳤다.

---

037

# 인간과 이미지는 별개다 이미지에 맞추는 것은 너무 힘들다

엘비스 프레슬리 Elvis Presley

이미지란 감각에 의해 마음속에 새겨진 심상(心象)이나 인상을 가리킨다. 사람의 특성이나 성향, 혹은 기업이나 상품에 대한 상이기도 하다. 이 상이 형성되는 양태는 무척 다양하고, 종종 불분명하기까지 하다. 한 인간이 지니는 인상은 자신의 개인적인 느낌과 타인의 설명, 그리고 무엇보다 당사자가 원하는 상을 심어주기 위해 기울이는 노력으로 조합되어 있다.

그런 점에서 이미지는 원하는 것과 원치 않는 것의 합성이고, 실체와 가상의 조합이다. 따라서 이미지가 어떤 상품이나 기업, 혹은 인물의 본모습과 일치하지 않는 것은 자연스러운 일이다.

특정 면모와 성격으로 큰 성공을 거둔 경우 야릇한 유혹에 빠진다. 자신을 성공으로 이끈 특색을 강조하고 싶은 충동에 사로잡히는 것이다. 그래서 하나의 이미지로 고착화하여 그것을 계속 살려나가려는 기대를 품는다. 그렇다면 기업과 상품, 그리고 사람에게는 이미지가 무슨 의미일까?

먼저 이미지가 얼마나 중요한지 결정해야 한다. 여기서 그 배경을 밝혀보는 것도 흥미롭다. 즉 기업과 상품에 이미지가 필수적이라면 그 이유는 무엇일까? 기업과 상품은 개념적 구성물이기 때문이다. 그렇다면 사람에게도 이미지가 필요할까? 만약 그렇다면, 예를 들어 사회나 기업 내에서 직위가 문제될 경우 이미지 당사자는 이미지가 자신의 본모습과 얼마만큼 일치하는지 항상 자각하고 있어야 한다.

그건 기업과 상품도 마찬가지다. 이미지가 실체와 거리가 멀수록 결국 그에 맞추기는 점점 더 어려워진다. 본모습은 결코 장시간 가장하거나 속일 수가 없기 때문이다.

많은 예술가들이 엘비스 프레슬리를 위대한 청년이라고 생각했다. 하지만 그는 남들이 그에게 걸었던 제왕으로서의 기대 때문에 망가졌다. 그의 대대적인 성공이 인간 존재로서의 그를 서서히 질식시켰던 것이다.

●● **키워드** 성공, 정체성, 경력

---

**엘비스 프레슬리(1935~1976)** 미국의 팝 음악가. '로큰롤의 제왕'으로 팝뮤직의 새 길을 열었다. 초기 로큰롤 시기에 발표한 〈하트브레이크 호텔Heartbreak Hotel〉을 비롯해서 〈인 더 게토In the Ghetto〉, 〈서스피셔스 마인즈Suspicious Minds〉 등 팝송, 그리고 TV쇼와 라스베이거스 공연으로 선풍적인 인기를 끌면서 20세기의 문화 우상으로 떠올랐다.

---

038

# 어떤 일을 20년 동안이나 계속 잘못할 수도 있다

쿠르트 투홀스키 | Kurt Tucholsky

독일의 유명한 풍자작가 쿠르트 투홀스키의 이 말은 다음과 같이 변형되어 회자되기도 했다.

"경험은 아무 짝에도 쓸모없다. 어떤 일을 35년 동안이나 잘못할 수도 있다."

어떤 말을 인용하든 이 두 표현은 '경험의 가치'를 비판적으로 다루고 있다. 경험은 좋은 것일까? 경험이 중요할까? 선입견으로 인한 부담이 없다는 점에서는 무경험이 낫지 않을까? 이처럼 경험과 무경험의 가치에 대한 물음에서는 반드시 둘 중 하나를 선택해야 하는 양자택일에 처할 때가 많다.

투홀스키는 두 입장 가운데 하나를 부정하기 위해 그것을 극단화시켰다. 그의 말에 따르면 경험 그 자체는 결코 가치 있는 것이 아니다. 이런 태도는 이른바 '청춘 열광'(youth mania : 직장이나 사회에서 나이 든 사람보다 젊은 층을 선호하는 경향, 혹은 나이든 사람들이 젊은이들의 취향이나 스타일, 행동을 따라하려는 경향—옮긴이)에 대한 비판적 목소리가 고조되는 분위기에서는 결코 환영받을 수 없다. 경험에 내재된 가치를 명백하게 부정하기 때문이다. 그러나 투홀스키는 이 말을 통해 인간이 반복해서 저지르는 사고의 오류, 즉 흑백논리의 오류를 지적하고 있다. 경험이 그 자체만으로는 결코 좋은 것이 아니기 때문이다. 경험에 성찰과 변형이 추가되지 않으면 인간과 사회에는 제한적으로만 도움이 될 뿐이다. 따라서 중요한 것은 경험을 어떻게 이용하느냐이다. 그런 점에서 무경험도 직장 내에서 부정적으로만 평가받을 것이 아니다.

투홀스키의 말을 건설적으로 받아들이면 내포하는 의미는 이렇다. 기업과 부서의 역동성을 위해서는 경험으로 얻은 경륜과 지식도 중요하지만 무엇에도 얽매이지 않는 참신한 무경험도 중요하다.

●● **키워드** 경험, 학습, 팀

---

**쿠르트 투홀스키(1890~1935)** 독일의 작가, 문예 비평가, 풍자가. 잡지 《무대》에서 일하다가 나중에 발행인이 되었다. 잡지의 이름도 훗날 《세계무대》로 바꾸었다. 서정시 외에 단편소설 『라인스베르크Rheinsberg』와 장편소설 『그립스홀름 성』으로 20세기 독일 문학에 큰 영향을 미쳤다.

---

039

# 불성실은 더 이상 범죄가 아니다

게오르크 슈테판 트롤러 Georg Stefan Troller

이 말은 오스트리아의 유명한 언론인 게오르크 슈테판 트롤러가 냉철하면서도 애정 어린 시선으로 현대사회를 조명한 다큐멘터리 방송에서 한 말이다. 원래는 남녀 관계를 겨냥해서 한 말이지만, 직장 영역에 적용해 인간의 변화된 태도에 전이해볼 수도 있다. 성실함, 즉 회사든 파트너든 한 곳에서 충성을 다하는 태도의 가치가 점점 빛을 잃어가고 있기 때문이다. 이유는 무엇일까? 간단하다. 늦어도 현대가 시작된 이후 개인주의의 발흥 및 개인적인 부분에 대한 관심이 높아지면서 불가피하게 지불해야 할 대가였던 것이다.

이는 환영할 일일까, 한탄할 일일까? 기술과 의학, 자연과학의 발달은 인간에게 개인적인 욕구를 더욱더 강하게 관철하고 마음껏 충족시키는 도구들을 제공했다. 그 결과 한편으로는 개인의 자주성과 독립심이 높아졌지만, 다른 한편으로는 공동체의 의미와 중요성, 가치에 대한 인식이 시들해졌다. 그와 병행해서 개성과 정체성을 혼동하는 오류도 자주 저지르게 됐다. 정체성은 반드시 개성을 통해 달성되는 것이 아니라, 역설적이게도 공동체, 즉 가족과 뿌리, 풍습, 관습, 언어에 대한 소속감과 깊이 연결되어 있다.

기본적으로 개성과 사회의 관계에서 항상 문제가 되는 것은 '인간성의 딜레마'이다. 즉 자아의 자기주장과 관철 사이의 긴장, 그리고 사회 속으로 받아들여지고 보호받으려는 욕구가 그것이다. 이러한 긴장 관계는 아마 절대 해소되지 않을 것이다. 시류의 변화에 따라 어떤 때는 이쪽으로, 어떤 때는 저쪽으로 균형추가 움직일 뿐이다.

20세기 후반에는 이 균형추가 연대와 성실성, 충성심의 영역을 떠나 개인성으로 확연히 기울었다. 그에 따라 사회적 가치를 등한시하고, 그 가치의 의미와 중요성을 잊어버리는 결과가 나타났다.

"불성실은 더 이상 범죄가 아니다."

이 간명한 확인은 부부 관계에서 신의를 지키지 않는 것이 더 이상 사회적 범죄로 지탄받지 않는 현상만 가리키는 것이 아니라, 노동 세계에도 그대로 적용할 수 있다.

한탄스럽지만, 경영자들이 더 이상 기업과 인간에 의무가 있다고 느끼지 않고, 자신의 직업을 단지 자아 발전과 경제적 상승 수단으로만 인식하는 경향이 점점 두드러지게 나타나고 있다. 그러나 이것은 원인이라기보다는 증상이다. 자신과 타인에게 성실함을 지키는 쪽으로 나아가는 것은 개개인이 선택해야 할 개인적인 과제이다.

●● **키워드** 마음가짐, 충성

---

**게오르크 슈테판 트롤러(1921~)** 오스트리아의 저널리스트이자 다큐멘터리 영화감독. 다큐멘터리 영화의 고전이라 할 수 있는 작품을 여러 편 만들었다. 1972년부터 20년 넘게 독일 ZDF 방송의 유명한 〈인물 탐구〉 프로그램을 제작했다. 트롤러 스타일의 특색은 언제나 호기심이 가득한 시선으로 흥미롭게 인물을 파고들면서도 인물의 품위를 최대한 존중할 줄 아는 태도였다. 그가 평생 천착했던 테마는 '개인'과 '개인적 삶의 실패와 성공'이었다. 대표적 영화로 〈사랑으로 인한 살인〉과 〈아모크Amok〉가 있고, 인물 탐구 중에서는 〈론 코빅, 당신은 왜 떠나지 않는가?〉가 있다.

---

040

# 규칙은 왜 모순되면 안 되는가? 그러면 규칙이 아니기 때문이다

루트비히 비트겐슈타인 Ludwig Wittgenstein

얼핏 보면 너무 뻔한 소리 같지만, 이 말의 주인공인 비트겐슈타인과 관련해서 그 뒤에 숨은 의미를 살펴보면 상당히 흥미로운 점이 나타난다. 비트겐슈타인의 철학에는 항상 '이해'의 문제가 중심에 깔려 있다. 즉 많은 문제들이 실은 소통상의 결함에 뿌리를 둔 '가짜 문제'라는 인식에서 출발하는 것이다. 수학에서 철학적 사유를 도출해낸 비트겐슈타인은 무엇보다 언어의 불충분에 그 책임을 돌린다. 심지어 철학적 문제는 없고, 단지 언어 문제만 존재할 뿐이라고 주장하기도 한다. 여기서 언어 문제는 단어와 문장의 상이한 해석 때문에 생겨난다. 그래서 비트겐슈타인은 언어의 결점을 제거하기 위해 명확한 논리에 기초한 규칙을 만들고자 했다.

그는 이 문제에 대한 답을 찾았다고 생각했고, 그 답은 "말할 수 없는 것에 대해서는 침묵하라"라는 유명한 문장으로 집약되었다. 하지만 이 대답에 만족할 수가 없었던 그는 다시 언어 논리학 속으로 침잠했다. 단어나 문장을 이해하기 어렵게 만드는 것이 무엇인지 자문하면서 보편적으로 통용될 수 있는 해결 규칙을 찾고자 매진했고, 이와 관련해서 마침내 이런 인식을 표명했다.

'규칙이 규칙으로 남으려면 결코 자기모순에 빠져서는 안 된다.'

이 말이 의미하는 바는 분명하다. 규칙은 상호 협력 속에서 무조건 전체적인 논리에 따라야 한다는 뜻이다. 규칙들끼리 모순을 일으키면 그런 모순은 제거되어야 한다. 이는 곧 규칙을 바꾸어야 한다는 의미이다. 규칙 체계 속에 존재하는 모든 모순은 전체 규칙까지 의심스럽게 만들기 때문이다. 이 말을 일상에 전용하면, 모든 규칙은 장기적으로 모순 없이 현실에 적용될 수 있어야 한다. 그렇지 못한 규칙은 그 자체로 명확하고 논리적이고 모순이 없는 규칙으로 바뀌어야 한다.

이런 측면에서 비트겐슈타인의 말은 소통의 본질과 언어의 이해 문제와 관련해서 매우 흥미로운 시사점을 제시한다. 또 그가 천착한 논리적 일관성은 협력과 공존으로 움직이는 사회의 다른 영역에서도 통용될 수 있다. 기업에서 이는 조직 구축과 업무 과정에만 해당되는 것이 아니라 사람을 통솔하는 문제에도 해당된다.

●● **키워드** 지도력, 조직화, 규칙

---

**루트비히 비트겐슈타인(1889~1951)** 오스트리아 태생의 영국 철학자. 언어철학의 창시자로 인정받는 비트겐슈타인은 생전에 유일하게 발표한 작품인 『논리철학 논고』를 통해 20세기 사상에 지대한 영향을 끼쳤다.

---

041

# 내가 도덕과 인간적 의무에 대해 확실하게 알게 된 것은 모두 스포츠 덕이다

알베르 카뮈 Albert Camus

약간의 익살이 섞인 이 진술은 프랑스의 위대한 작가 알베르 카뮈가 어렸을 때 알제리에서 오랫동안 축구부원으로 활동하던 시절의 경험을 적은 신문 기사의 끝 부분에 나온다.

다소 비꼬는 투의 인상을 풍기는 것도 사실이지만, 이 말에는 카뮈의 진심이 담겨 있다. 그렇다고 스포츠가 오로지 도덕과 인간적 의무의 좋은 면만 지닌다고 결론내리는 것은 카뮈의 의도를 표면적으로만 해석한 것에 불과하다.

오히려 카뮈는 스포츠에서 좋건 나쁘건 되풀이해서 나타나는 사회적 메커니즘과 인간관계의 메커니즘을 지적하고자 했다. 즉 공동의 목표, 단결, 팀원들이 각자 맡아서 지켜야 할 자리, 연대, 성실 등에 대해서 말이다.

카뮈는 축구부에서 골키퍼를 맡았다. 기사에서도 언급했듯 그는 골키퍼로 뛰면서 '공은 절대 예상한 방향으로 오지 않는다'는 것을 깨달았다.

그렇다면 축구선수 알베르 카뮈의 마음에 와 닿은 것은 무엇일까?

모든 것을 공동으로 하는 유대감이다. 즉 승리를 해도 함께하고, 패배를 해도 함께하는 것이다.

"모두 함께 탈진할 때까지 열심히 뛰고 난 뒤에 거둔 승리의 도취감도 그렇고, 패배한 날 저녁 모두 함께 엉엉 소리를 내며 울부짖고 싶은 것까지 팀 전체가 함께 경험한다는 것이다."

카뮈의 말에서 특히 흥미로운 부분은 '내가 도덕과 인간적 의무에 대해 확실하게 알고 있는 것'이라고 강조한 대목이다. 어릴 때든 어른이 되어서든 단체경기를 해본 사람이라면 직장 생활에서 느끼는 일체감은 스포츠에서 경험했던 것 같은 순수한 유대감에 결코 미치지 못한다는 사실을 깨닫게 된다.

따라서 그런 기억을 지속적으로 불러내는 것이 중요하다. 직장 생활에서는 아무리 단결을 부르짖어도 거의 빈말에 가깝기 때문이다.

그렇다면 팀을 팀답게 만드는 것은 무엇일까?

우선 직장에서건 스포츠에서건 각 팀의 구성원들은 자신의 성공이 동료들에게 달려 있다는 사실을 확실하게 깨달아야 한다.

---

**알베르 카뮈(1913~1960)** 프랑스 소설가. 소설 『이방인』과 『페스트』로 유명해졌다. 1957년 노벨 문학상을 받았고, '부조리의 사상가'라는 별칭을 얻었다. 철학 에세이 『시지프 신화』로 현대 철학에 막대한 영향을 끼쳤다.

---

또한 동료들과 어떻게 협력하고, 공동의 목표가 무엇이고, 목표에 이르기 위해서는 어떻게 해야 하는지 알아야 하고, 동료들이 자신을 믿고 신뢰한다는 것을 확신하고, 각자 자신의 임무를 정확하게 숙지하고 있어야 한다. 이것이 성공의 관건이다.

●● **키워드** 마음가짐, 충성, 도덕, 팀

042

# 나는 말괄량이 삐삐를 통해 힘이 있어도 그 힘을 남용하지 않을 수 있다는 걸 보여주고 싶었다

아스트리드 린드그렌 Astrid Lindgren

말괄량이 삐삐는 전 세계 어린이와 어른들에게 잘 알려진 캐릭터이다. 많은 세대가 이 당돌하고 고집스러우면서도 마음씨 고운 삐삐의 모험과 함께 성장했다. 말괄량이 삐삐는 아주 별난 여자 아이다. 가족도 없이 혼자 말과 원숭이를 데리고 살았는데, 마을 사람들은 그런 삐삐를 무척 이상하게 생각했을 뿐 아니라 별로 마음에 들어하지도 않았다. 삐삐는 이웃에 사는 오누이 토미, 아니카와 친하게 지냈고, 그들과 함께 아주 기발하고 황당한 모험을 즐겼다.

말괄량이 삐삐는 사람들의 뇌리에 사랑스러우면서도 어른들의 세계를 거부하는 고삐 풀린 망아지 상을 심어주었고, 이런 상은 나이가 들수록 더욱 생생해진다.

그런데 말괄량이 삐삐라는 인물에서 별로 주목받지 못한 부분이 있다. 작가가 깊은 뜻을 품고 삐삐에게 매우 중요한 두 가지 힘을 부여했다는 사실이다. 하나는 삐삐가 무척 부자이고(금화로 가득 찬 보물 상자가 있다), 다른 하나는 엄청나게 힘이 세다는 점이다(말조차도 힘들지 않게 번쩍 들어올린다).

그런데도 삐삐가 이런 힘을 남용하지 않는다는 점은 퍽 주목할 만하다. 삐삐가 이런 힘을 사용하는 경우는 위험에 처했을 때나 자신이 바라는 것을 이루고자 할 때뿐이다. 또한 자신이 원하는 것을 성취할 때도 결코 남에게 피해를 주는 법이 없고, 오히려 돈을 이용해서 다른 아이들의 소원을 들어주는 등 남을 위해 그 힘을 쓴다.

린드그렌이 말괄량이 삐삐를 통해 아이들에게 모범을 보인 점은 어른들의 세계와 직장 세계에도 해당된다. 권력은 '책임'을 의미한다. 다시 말해서 원칙적으로 권력이 주어지거나 권력을 획득한 사람이라면 가능한 한 권력을 신중하게 사용하고 좋은 일에 쓸 줄 알아야 한다는 의미이다.

●● **키워드** 지도력, 권력

---

**아스트리드 린드그렌(1907~2003)** 스웨덴의 여성 작가. 비교적 늦은 나이에 창작 활동을 시작했다. 린드그렌의 작품에 등장하는 가장 유명한 주인공으로는 말괄량이 삐삐와 지붕의 카를손, 뢰네베르가의 미셸, 산적의 딸 로냐가 있다.

---

043

# 반드시 해야 되는 것은 없다 행동만 있을 뿐이다

제리 루이스 Jerry Lewis

우리는 어떤 일을 하기 전에 무언가 조건을 다는 경향이 있다. 다시 말해서 이것을 하기 위해서는 저것이 먼저 이루어져야 한다고 생각하는 것이다.

자기 방어 때문에 그럴 수도 있고, 아니면 게으르거나 자신의 가능성을 믿지 않기 때문에 그럴 수도 있다. 물론 현실적으로 그런 조건이 필요한 경우도 드물지 않다. 하지만 자신이 무언가 부족하다고 생각하는 것, 그리고 자신의 목표를 이루는 데 걸림돌이 되는 것은 일단 모두 제쳐두고, 자신이 원하는 것만 분명하게 확인한 다음 바로 시작할 수는 없을까?

미국의 유명한 코미디언이자 배우이자 영화감독인 제리 루이스가 말하고자 하는 바는 분명하다. 우리가 적극적으로 행동에 나서지 못하는 것은 수단이 없어서가 아니라 대개 의지가 부족하기 때문이라는 것이다.

물론 모든 사람, 모든 상황에 똑같이 적용할 수는 없다. 다만 막대한 권한을 갖고 헌신적으로 사람들을 이끌어야 할 위치에 있는 사람이라면 무언가를 하려는 의지가 결정적이며, 그것 자체로 포기할 수 없는 전제 조건이다. 제리 루이스가 자신의 핵심 전제로 여겼던 것은 '호기심'과 '무조건 영화를 만들려는 욕구'였다.

결국 관건은 이렇다. 인간의 행동은 강요로 이루어져서는 안 되고, 자신의 의지가 우선이어야 한다. 그렇지 못할 경우 이런 전제를 충족시킬 다른 무언가가 없는지 숙고해야 한다.

●● **키워드** 실행, 목표와 목표 설정

---

**제리 루이스(1926~)** 미국의 코미디언이자 영화배우 겸 영화감독이다. 1950년대에 딘 마틴과 콤비를 이룬 코미디 영화로 유명세를 얻었다. 그 후 감독으로 데뷔해서 직접 코미디 영화를 만들었다. 대표작으로 〈미치광이 교수〉와 〈레이디스 맨 The Ladies Man〉이 있다.

---

044

# 도덕은 아무도 없을 때 드러난다

카를 크라우스 Karl Kraus

도덕은 공동체의 산물이다. 도덕 속에는 어떤 행동이 좋고 나쁜지에 대한 공동체 구성원들의 합의가 담겨 있다. 그런데 이렇게 만들어진(대개 불문율의 형식을 띤다) 규칙이 공동체 밖에서도 통용될까? 오스트리아의 중견 작가이자 문화비평가인 카를 크라우스는 여기 소개한 말과 함께 본래의 도덕은 개인이 자신과 맺은 약속이고, 스스로에 대한 준(準)심판관으로서 그것을 검증할 때에야 비로소 확인될 수 있다고 주장한다.

그렇다면 카를 크라우스는 어떤 도덕을 말하고 있을까? 날카로운 언어 비평가이자 명민한 신문 문예란 집필자였던 크라우스가 말한 도덕은 아마 '윤리적 도덕', '저항의 도덕', '불굴의 도덕'인 듯하다. 따라서 크라우스의 말을 해석하자면, 도덕은 상당 부분 개인적인 자아와의 대결 속에서 결정되는 사안이다.

윤리적 의미의 도덕은 개인이 아무런 처벌을 받지 않고 공동체의 규칙을 어길 수 있을 때에도 자신의 태도가 바뀌지 않을 경우에 드러난다. 저항의 도덕도 마찬가지다. 자신을 지지하는 사람이 전혀 없어도 잘못된 것에 끝까지 항거하는 태도가 저항의 도덕이다. 또한 어떤 일을 끝까지 성공적으로 밀고 나갈 수 있는 능력을 뜻하는 불굴의 도덕도 자신과의 대결 속에서 결정된다. 방송으로 축구 경기를 지켜본 사람들이 가끔 이렇게 말하는 소리를 들을 수 있다.

"우리 팀은 후반전에서 게임을 반전시킬 도덕이 없었어."

여기서 말하는 것은 불굴의 도덕이다. 무언가를 해내는 능력은 정신 속에서, 결심 속에서, 그리고 쓰러져도 다시 일어서는 의지 속에서, 자기 자신 속에서 결정된다. 보는 사람이 아무도 없을지라도.

●● **키워드** 마음가짐, 도덕, 자기관리

---

**카를 크라우스(1874~1936)** 오스트리아의 소설가, 에세이 작가, 문화 비평가. 자신이 발행한 평론지 《횃불》로 유명해졌고, 나중에는 이 잡지에 자신의 글만 실었다. 탁월한 언어 구사 능력과 신랄한 유머로 동시대의 언어와 문화, 사회의 쇠퇴에 항거했다.

---

## 045
# 스스로를 놀리는 사람은 남의 일을 덜어준다

하인츠 에어하르트 Heinz Erhardt

남들이 자신에 대해 갖는 이미지에서 자유로운 사람은 없다. 그런 데 신경 쓰지 않는다고 말하는 사람조차 그렇다. 어쨌든 그런 사람도 자신이 원하는 이미지를 스스로 가꾸려고 하기 때문이다. 사람은 대개 의식하지 못한 상태에서 자신의 정체성과 품위, 자부심을 만들려고 노력한다.

이는 부분적으로 상당히 엄숙하고 진지한 사안이다. 그래서 어떤 사람은 자기도 모르게 자신에 대한 거리감과 유머를 잃어버리기도 한다. 유머는 누구도 넘보지 못할 강점을 보여주려고 애쓸 때 자신의 약점을 노출시키는 역할을 한다. 명심하라. 이미지가 높을수록 추락하는 골도 깊고, 다시 올라오기는 더 어려운 법이라는 것을.

독일의 코미디언 하인츠 에어하르트가 그에 대해 재치 넘치는 충고를 했다. 그의 말을 곱씹어보면 다양한 방식으로 훌륭한 깨달음에 이를 수 있다.

때때로 스스로를 놀리는 사람은 자신을 너무 진지하게 생각하지 않는 법을 자연스럽게 배운다. 심지어 그런 행동을 통해 어느 정도 거리감을 갖고 자신을 바라보고, 자신에 대한 입장을 정리할 기회를 얻기도 한다. 게다가 그런 행동이 일으키는 유쾌한 부작용으로 자신의 취약점도 작아진다. 또한 자신을 놀리는 행동으로 충돌이 일어날 수 있는 순간에 갈등의 잠재력을 제거할 수 있다.

끝으로 여기서 문제가 되는 것은 자신에 대한 입장을 조종하라는 것이다. 이 말은 '자조(自嘲)를 가꾸라'는 말로 바꾸어볼 수 있는데, 에어하르트의 말에 따르면 이는 원래 남이 해야 할 일이다.

그밖에 자기 자신을 놀리는 행동은 타인을 알아보는 훌륭한 테스트이기도 하다. 남이 어떻게 반응하는지, 그냥 웃고 마는지 아니면 뭔가를 덧붙이는지에 따라 그 사람에 대해 많은 것을 알 수 있기 때문이다.

●● **키워드** 지도력, 마음가짐, 자기관리

---

**하인츠 에어하르트(1909~1979)** 독일의 코미디언이자 배우. 20세기 독일에서 가장 뛰어난 유머의 대가로 칭송받는다. 많은 영화에 출연하기도 했는데, 가장 유명한 영화로 〈보트 위의 세 남자〉와 〈하얀 조끼를 입은 신사들〉이 있다. 또한 풍자와 해학이 깃든 시와 상상력 넘치는 언어유희가 돋보이는 그의 산문도 여전히 인기를 누리고 있다.

---

# 삶은 불공평하다

존 F. 케네디 John F. Kennedy

책임을 진 사람들은 흔히 얼마만큼 공정성을 유지했느냐에 따라 평가받기도 한다. 하지만 이런 질문을 한번 던져보자. 머리가 좋고 교양 있고, 모든 결정에서 한쪽으로 치우침이 없다는 소리를 들을 정도로 완벽한 책임자가 있다고 가정했을 때, 그런 사람이 실제로 부하 직원을 대하고 일을 처리하면서 얼마나 공정할 수 있을까? 모든 사람에게 불공평한 일이 없도록 하고, 모든 사람에게 똑같은 수준으로 칭찬을 하고 대우를 하고 인정할 수 있을까? 사회적 부와 부담을 공정하게 분배할 수 있을까?

미국 대통령 존 F. 케네디는 군대 내 징집 대상자들의 배치와 관련해서 삶이 불공평하다는 말을 했다. 그가 한 말은 이렇다.

"어떤 사람은 전쟁에서 죽고, 어떤 사람은 부상을 당하고, 어떤 사람은 나라 밖을 떠난 적도 없고, 어떤 사람은 북극 지방에

주둔하고, 어떤 사람은 샌프란시스코에서 근무합니다. 그건 군 생활에서건 사생활에서건 무척 가혹한 일입니다. 삶에는 항상 불공평이 존재합니다."

그렇다면 케네디의 이 말은 어떻게 해석해야 할까? 삶이란 어차피 불공평하므로 공정성 실현을 위해 크게 노력을 기울이지 않아도 된다는 뜻일까? 아니다. 그건 잘못된 해석이다. 오히려 케네디의 말에서는 특별한 인식과 행위 지침을 끄집어낼 수 있다. 둘 다 근본적으로는 간단하지만 실천으로 옮기기는 쉽지 않다.

원칙적으로 삶이 공정하지 않다는 것은 누구나 안다. 사람은 각자 불공평한 환경에서 태어나고, 재능도 성격도 다르다. 이를 토대로 경제적, 사회적으로 개인에 대한 상이한 가치 평가가 매겨진다. 그렇다면 지도자는 이런 차이를 인식하고 자신이 책임지고 있는 사람들에게 최대한 공정성이 보장되도록 노력해야 한다. 그것이 지도자의 행위 지침이다. 또한 지도자에게 소속된 사람 역시 최대한 공정하게 일을 처리해줄 것을 책임자에게 요구해야 한다. 하지만 그러면서도 총체적인 공정성에 도달할 수 없다는 사실은 인정해야 한다. 케네디의 의도를 곱씹어보면 이렇다. 삶에서 공정성을 쟁취하기는 어렵지만, 그렇다고 절대 포기해서는 안 된다.

●● **키워드** 지도력, 공정함, 마음가짐, 조직화, 자기관리

---

**존 F. 케네디(1917~1963)** 미국 정치인. 제35대 대통령에 선출된 케네디는 몇 가지 정치적 실책과 퇴행에도 불구하고 1960년대 초반 미국의 희망을 상징하는 인물이었다. 그는 민주주의 사회의 다양한 개혁과 발전을 추구했다.

---

047

# 약한 사람은 솔직해질 수 없다

라 로슈푸코 La Rochefoucauld

이 말은 논쟁거리이면서 불쾌한 진실이다. '솔직함'이란 거짓과 진실 사이에서 어쩔 수 없이 선택해야 할 상황이 벌어지면 갑자기 대두하는 문제이기 때문이다.

누구나 가끔은 정직하고 싶지 않은 유혹에 빠진다. 분쟁에서 벗어날 기회가 생겼거나, 아니면 자신에게 유리하도록 분쟁을 끝낼 기회가 생겼을 때 특히 그렇다.

항상 강한 사람은 없다. 하지만 약한 순간에도 강함을 증명할 수 있다. 이러한 강함은 첫눈에는 잘 인식되지 않고, 스스로도 모를 때가 많다. 부정직한 것이 오히려 너무나 간단한 방법임에도 솔직함을 선택하는 순간, 불편한 솔직함에 대한 참담한 반응이 형벌처럼 나타날 수 있다. 그런 다음에는 이런 자책이 따른다.

'내가 왜 그랬을까?'

사람들은 대부분 알고 있다. 솔직함은 그것을 선택하는 순간 이중 삼중의 형벌이 될 수 있다. 어쩌면 나중에야 간혹 이런 소리를 들을 뿐이다. "그래도 네가 옳았어." 혹은 이렇게 말하는 사람도 있을 것이다. "그때 네가 진실을 말한 것은 정말 용기 있는 행동이었어."

프랑스 작가 라 로슈푸코가 말하고자 한 것도 익히 잘 알려진 진실에 대한 용기이다. 그것도 약한 사람은 솔직해질 수 없다는 표현과 함께 이러한 인식을 극단화시켰다. 왜냐하면 약한 사람은 결국 반복해서 부정직함에 굴복하고 만다는 사실을 지적하고 있기 때문이다.

원칙적으로 약한 사람을 알아내기란 어렵지 않다. 그들은 힘 있는 사람 앞에서는 간이라도 내줄 것처럼 아양을 떨다가도, 돌아서면 금방 등 뒤에서 그 사람 욕을 하거나 자신의 결정을 바꾼 것에 대해 너무도 뻔한 변명을 늘어놓는다. 그밖에 약한 사람을 알아볼 수 있는 가장 확실한 방법이 있다. 항상 남에게 책임을 돌리면서 자신의 잘못을 인정하는 데는 인색한 사람들이다.

지도적 위치에 있든 그렇지 않든 그런 약한 사람을 알아보는 눈을 키우는 것은 상당히 중요하다.

●● **키워드** 분쟁, 마음가짐, 협상

---

**라 로슈푸코(1613~1680)** 프랑스 작가. 리슐리외 추기경과 루이 14세를 무너뜨리려는 귀족들의 반란에 가담했다가 실패로 돌아가자 정치 일선에서 물러나 인간의 본질과 악습에 관한 깊은 성찰을 담은 글을 써서 대중의 갈채를 받았다.

---

048

# 네 눈 속의 티끌이 최고의 확대경이다

테오도르 아도르노 Theodor W. Adorno

어떤 형태의 경영 학교에서건 학생들에게 문제 해결 능력을 가르치는 과정은 필수적이다. 이 과정의 첫 단계는 문제를 정확하게 인지하고 파악하는 것이다. 얼핏 보기에 지극히 단순한 문제도 방치하면 고질적인 병폐로 커질 수 있다. 그 이유는 무엇일까? 문제와 결과를 혼동하기 때문이다.

독일의 철학자이자 사회학자인 테오도르 아도르노의 말은 원인과 결과를 어떻게 인식할 수 있는지에 관해 좋은 단서를 제공해준다. 눈 속의 티끌만 찾으면 된다는 것이다. 얼핏 보면 아도르노의 비유는 너무 단순해 보이지만, 조금만 더 생각해보면 뒤에 숨은 깊은 함의를 읽을 수 있다.

이 말은 특히 원인과 결과를 혼동하지 말아야 할 때 되새겨봄 직하다. 눈 속에 티끌이 들어가본 적이 있는 사람이라면 그 티끌이 대단한 통증을 유발하지는 않는다는 걸 알 것이다. 티끌은 이따금 움직이면서 거치적거린다. 하지만 우리는 티끌이 있다는 사실만으로도 통증을 느끼고, 뭔가 정상이 아니라고 여기게 된다.

아도르노의 말은 궁극적으로 사물을 바라보는 태도와 관련이 있다. 즉 우리가 특정 문제와 관련해서 느끼는 좋지 않은 감정이 그 원인을 찾아내기 위한 최고의 단서라는 것이다. 이는 문제를 적절하게 분석하는 훌륭한 자극이 되기도 한다. 기업 내에서도 문제를 찾기 위해서는 먼저 통증이 있는 곳을 느끼고 눈 속의 티끌부터 찾아나서야 한다.

●● **키워드** 문제 인식

---

**테오도르 아도르노**(1903~1969) 독일의 사회학자, 음악 이론가, 철학자. 1934년 미국으로 망명했다가 1949년에 다시 독일로 돌아갔다. 막스 호르크하이머와 함께 '프랑크푸르트학파'를 대표하는 철학자로 계몽주의와 실존철학에 비판적 입장을 견지했다.

---

049

# 잘못인 줄 알면서도 고치지 않는 것이야말로 잘못이다

공자 孔子

'잘못'(실수)은 나쁜 말이다. 누구도 잘못하기를 원치 않는다. 특히 성공에 대한 압력이 거세고, 남들보다 앞서겠다는 분위기가 팽배한 상황에서는 누구도 잘못을 인정하고 싶어 하지 않는다.

잘못을 인정하는 것과 잘못에 대처하는 것은 별개의 문제이다. 전자는 체면과 관련이 있고, 후자는 항상 제대로 해야 한다는 소망과 관련이 있다.

그런데 '잘못'이 나쁘다고 생각하는 것은 그 자체로 잘못이다. 생각해보라. 이런 말은 얼마나 듣기 좋은가?

"일하는 사람은 잘못을 저지르기 마련이다."

한 걸음 더 나아간 표현도 있다.

"많이 일하는 사람은 잘못도 많이 저지른다."

누가 이런 말에 흔쾌히 동의하지 않겠는가?

다만 어리석은 것은 우리의 일상적으로 일하는 환경에서는 잘못을 용납하지 않으려는 분위기가 팽배하다는 점이다. 그래서 쉽게 일어날 수 있고, 심지어 일을 하다 보면 일어날 수밖에 없는 잘못도 재빨리 다른 식으로 각색해버린다. 하지만 틀에 박힌 일이 아니라면 잘못은 반복적으로 일어날 수밖에 없다. 아니 좀 더 부드럽고 적절한 표현으로 바꾸어 말하면 '아직 최선이 아닌 결과'로 나타날 수밖에 없다.

따라서 '아직 최선이 아닌 결과'와 잘못도 하나의 경험으로 허용하는 분위기를 만드는 것이 중요하다.

하지만 잘못이든 불충분한 결과든 반드시 명심해야 할 점이 있다. 잘못된 부분을 깨닫자마자 바로 고쳐야 한다는 것이다. 그러지 않으면—공자가 한 말의 핵심이다—돌이킬 수 없는 잘못, 즉 낙담과 무능으로 대변되는 잘못을 저지르게 된다.

●● **키워드** 실수, 프로젝트 관리, 조종

---

**공자(BC 551~479)** 중국의 철학자. 공자의 가르침은 지금도 특히 동북아시아를 중심으로 가정과 사회, 정치 분야에서 결정적인 영향을 미치고 있다. 공자의 가치 체계는 위계적인 특징을 보인다. 순종과 의무 이행의 미덕에 바탕을 두고, 국가와 지도 계급에 높은 윤리성을 요구한다. 공자가 직접 쓴 글은 남아 있지 않고, 전해지는 문헌은 제자들이 기록한 것이다.
이 말의 원문은 '과이불개 시위과의(過而不改 是謂過矣)'로 『논어』 제15편(위령공편)에 실려 있다.

---

050

# 정신적인 깊이는 숨겨야 한다 어디에? 표면에

후고 폰 호프만스탈 Hugo von Hofmannsthal

복잡한 것에는 상세한 설명이 필요하다고 한다. 꼭 그럴까? 아니다. 오스트리아의 작가 후고 폰 호프만스탈은 어떤 문제의 복잡한 실타래를 풀어헤쳐 그 핵심을 겉으로 드러내라고 충고한다.

이 문장에서 '숨기라'는 말은 무언가를 비밀로 하거나 감추라는 뜻이 아니다. 오히려 복잡한 관련들을 단순하게 전달하려고 노력하라는 의미를 담고 있다. 이러한 요구는 다양한 영역에서 탁월한 반향과 결과를 이끌어낼 수 있다. 예를 들어 전략을 설명하거나 상품의 장점을 홍보하거나, 사태의 다층적인 면을 적절하게 요약할 때 그렇다.

근본적으로 중요한 것은 내용의 포장이다.

호프만스탈의 말에 따르면 완벽하게 포장된 표면은 첫눈에 그 뒤에 숨은 깊은 핵심까지 알 수 있도록 꾸며져 있어야 한다.

어떤 깊이에도 표면이 있고, 모든 표면에도 깊이가 있다. 최고의 표면은 그 뒤에 숨은 깊이를 드러낸다. 반면에 그 자체만 드러내는 나쁜 표면은 밋밋하고 피상적일 뿐이다.

그런 점에서 표면이 깊이에 맞게 형성되지 않으면 깊이는 알 도리가 없다. 까다롭고 번거롭게 전달되는 깊이는 위험에 노출되어 있고, 원하는 성공을 주지 못한다.

그런 점에서 상품을 디자인하거나 광고, 커뮤니케이션, 프레젠테이션을 할 때도 항상 좋은 표면(상품의 장점이나 목표라고 불러도 상관없다)과 함께 그 뒤에 숨은 깊이를 즐길 수 있도록 배려해야 한다. 또 하나, 제대로 된 깊이가 있어야 그를 반영한 표면도 제대로 효과를 낼 수 있다는 사실을 명심해야 한다.

●● **키워드** 분석, 소통, 광고

---

**후고 폰 호프만스탈**(1874~1929) 오스트리아의 소설가, 시인, 극작가. 서양의 고전 문학과 신화에 천착했던 호프만스탈은 현대문학으로 넘어가는 과도기의 작가였다. 일찍이 시로 두각을 나타냈다가 후기에 들어 단편소설을 썼다. 오페라 대본도 몇 편 집필했다. 희곡으로는 『누구라도』와 『청렴한 남자』 등이 있다.

---

051

# 번개로 세상을 비출 수는 있지만 오븐을 데울 수는 없다

크리스티안 프리드리히 헤벨 Christian Friedrich Hebbel

어떤 위대한 행동도 추후 행동이 따르지 않으면 별 성과도, 별 효과도 없이 끝나고 만다. 아이디어들도 많은 감탄을 자아낼 수는 있지만, 구체적으로 실천에 옮겨지지 않으면 아무 소용이 없다.

독일의 극작가 크리스티안 프리드리히 헤벨의 말에서 뽑아낼 수 있는 충고는 인간 행위에서 가장 중요한 이음새와 맞닿아 있다. 즉 아이디어와 약속, 희망이 그저 공허한 울림에 그칠 것이냐, 아니면 실행으로 옮겨져 실현되느냐를 두고 개인이 선택해야 하는 상황과 맞닿아 있는 것이다.

이 문제, 즉 생각과 행동, 의도와 실행 사이의 간극에 대해 이야기하는 금언과 교훈은 수없이 많다. 그 모든 말들 속에는 생각은 아직 행위가 아니라는 인식이 공통적으로 깔려 있고, 훌륭한 아이디어를 내는 것보다 실천하는 것이 더 어렵다는 사실이 강조되어 있다. 여기서 중요한 것은 이원론에 빠지지 않는 것이다. 즉 아이디어와 행위의 경계를 분리하지 말라는 것이다. 생각과 행위는 둘 다 중요하고 상호 작용한다. 어떤 좋은 결과도 좋은 아이디어 없이는 나올 수 없고, 아이디어도 훌륭한 행위로 이어질 때 비로소 훌륭해지기 때문이다.

헤벨의 말에서 끌어낼 수 있는 충고가 하나 더 있다. 항상 특별한 아이디어만 필요한 것이 아니라 일상의 권리를 인정하고, 그로써 온갖 인간적 야망과 추구를 뛰어넘어 기본적 욕구 보장을 등한시하지 말라는 점이다.

헤벨의 비유에서 보자면 우리에겐 두 가지 다 중요하다. 즉 번개의 밝음도 필요하고, 오븐의 온기도 필요하다. 번개의 밝음이 없으면 우울한 기분에 빠질 것이고, 오븐의 온기가 없으면 추위에 얼어붙어 번개의 밝음을 누리지 못할 것이다.

●● **키워드** 일상, 실행

---

**크리스티안 프리드리히 헤벨**(1813~1863) 독일의 극작가. 그의 대표적 비극 『마리아 막델레나』는 지금도 자주 공연되는 히트작이다. 희곡 작품 외에 시와 경구도 남겼다.

---

052

# 습득한 경험의 순서가 인간의 특성을 결정짓는다

엘리아스 카네티 Elias Canetti

사람들이 살아온 여러 이력을 비교하다 보면 노벨 문학상 수상자인 엘리아스 카네티의 말에 한 번쯤 고개를 끄덕거리게 된다. 그의 말은 인간의 특성이 어떻게 형성되는지에 대한 인상적인 해명이 될 수 있기 때문이다. 따라서 경험의 순서가 인간의 본질과 성격 형성에 얼마만큼 깊은 영향을 끼치는지 따져보는 것은 상당히 흥미로운 일이다.

각자 다른 교육 과정에서 개개인의 내적 특징을 추론해보면 시사하는 바가 많다. 예를 들어 몇 년간 직장 생활 끝에 대학 공부를 시작하는 사람은 고등학교를 막 졸업하고 대학에 다니는 학생들과는 공부하는 태도에서 확연한 차이를 보인다. 자기관리에 철저하고 배우겠다는 열의로 넘쳐난다. 이런 사람은 직장 생활을 통해 현실을 먼저 경험하고, 그 뒤에 이론을 배우려는 사람들이다. 반면에 고등학교를 졸업하고 바로 대학에 들어온 학생들은 인생 경험이 없기 때문에 이론을 체득하기가 여간 어렵지 않다. 경력도 당연히 사람의 성격 형성에 영향을 미친다. 일찍이 큰 성공을 맛본 사람은 서서히 성공으로 나아가는 사람들과 사고방식 면에서 확연한 차이를 보인다.

카네티의 이력을 살펴보면 그 자신이 "습득한 경험의 순서가 인간의 특성을 결정짓는다"는 인식의 산증인이었다. 처음에 화학을 공부했던 그는 나중에 작가가 되어 노벨 문학상까지 받는 영광을 누렸다.

경영 영역에 카네티의 말을 적용해보면, 그의 인식은 직원들 각자의 판단과 평가가 상이한 이유에 대한 해석의 실마리가 될 수 있을 뿐 아니라 기업 업무 과정에도 도움이 된다. 순서는 인간뿐 아니라 프로젝트에도 영향을 미친다. 프로젝트를 모의실험 속에서 여러 형태로 변형하면 종종 뜻하지 않게 최선의 결과에 이르는 중요한 깨달음을 얻게 된다.

●● **키워드** 교육, 경력, 능력, 프로젝트 관리

---

**엘리아스 카네티(1905~1994)** 소설가. 스페인 출신의 유대인 상인 가정에서 태어나 불가리아와 영국에서 자랐고, 마지막에는 스위스에서 살았다. 독일어로 작품 활동을 했으며, 소설 『현혹』으로 유명해졌다. 1981년에 노벨 문학상을 받았다.

---

053

# 비판하기보다는 항상 특징짓기에 애써야 한다

크리스티안 모르겐슈테른 Christian Morgenstern

'비판'이라는 말은 이미 오래전에 과거의 화려한 명성을 잃어버렸다. 독일 작가 크리스티안 모르겐슈테른의 말도 그런 측면을 부각시키고 있다.

임마누엘 칸트의 시대인 18세기 말엽, 그러니까 계몽주의가 한창 꽃피고 이상주의가 막 싹을 틔우기 시작하던 시기에 '비판'이라는 말은 이성이 진리로 나아가기 위해 반드시 갖추어야 할 열쇠나 다름없었다. 또한 기존의 모든 것에 의문을 제기하는 반가운 수단이자, 인식을 심화·개선시키는 도구이기도 했다.

그러나 시대의 획을 그은 칸트의 3대 비판서(『순수이성비판』, 『실천이성비판』, 『판단력비판』)에도 불구하고 비판에 어두운 그림자가 드리워지는 것은 피할 수가 없었다. 이유는 단순하면서도 인간적이다. 사람들은 비판을 불편하게 생각하기 때문이다.

'비판'이라는 말 속에는 '비방'이라는 부정적인 측면이 잠재되어 있다. 그러다 보니 비판의 명예 실추도 이런 부정적인 측면이 강조되면서 시작되었고, 모르겐슈테른 역시 비판을 헐뜯는 행위로 이해하고 있다.

그는 '비판'과 '특징짓기'를 대립시키면서 한번쯤 생각해볼 만한 가치가 있는 태도를 권장하고 있다. 즉 무언가를 헐뜯기보다는 이해하고자 노력하라는 것이다.

'특징짓기' 속에는 무언가를 묘사함으로써 그것을 이해하고자 하는 자세가 내재되어 있다. 반면 비판에는 자신이 옳다고 생각하는 확고한 관점이 깔려 있다. 이런 의미에서 비판은 자기 입장을 의문시하지 않는 경향을 보인다.

심지어 비판의 대상이 처음부터 잘못된 관점에서 비롯되었다고 생각하기도 한다. 이런 측면에서 보자면 차라리 비판보다는 어떤 것의 특징을 중립적으로 묘사하는 것이 더 낫다. 물론 이러한 태도를 '동의'나 '양해'와 혼동해서는 안 된다. 오히려 특징짓기는 '사실'에 이르는 문을 열어주고, 타인뿐 아니라 자신을 이해하는 데 도움이 된다. 또한 문제 인지와 해결 과정에서도 객관적인 분석의 길을 마련해주기도 한다.

●● **키워드** 분석, 문제 인식, 문제 해결

---

**크리스티안 모르겐슈테른**(1871~1914) 독일 시인. 카바레 무대의 공연 대본을 집필했고, 노르웨이의 극작가 입센과 스트린드베리, 함순의 작품을 번역했으며, 특히 유별나고 익살스러운 시로 명성을 얻었다.

---

054

# 주여, 저들을 용서하소서 저들은 자신이 무슨 짓을 하는지 알기 때문입니다

카를 크라우스 Karl Kraus

유명한 성서 구절을 패러디한 카를 크라우스의 이 말은 듣자마자 바로 고개를 끄덕이게 된다. 똑똑하고 통찰력 있고 남들보다 더 많이 알면서도 잘못된 행동을 저지른 사람은, 자신이 무슨 일을 저지르는지 모르는 사람들보다 자기 책임이 더 크고, 따라서 용서를 받아도 그만큼 더 많이 받아야 하기 때문이다.

"너도 알고 있었잖아!" 혹은 "생각해보면 얼마든지 알 수 있는 일이었어!" 이런 말은 알면서도 잘못을 저지른 사람들에게 자주 쏟아지는 질책이다.

인간은 왜 잘 알면서도 잘못된 행동을 하는 것일까? 그것은 분쟁에 대한 두려움 때문일 수도 있고, 권력이나 직장을 잃을지도 모른다는 공포 때문일 수도 있고, 실수를 고백할 용기가 없기 때문일 수도 있다.

어쨌든 그런 태도는 일반적으로 자기 위안의 음험한 심리에 의해 조장되고 촉진된다. 이를테면 이런 식의 자기 합리화이다. "그런다고 설마 잘못되겠어?" 이보다 더 무책임한 말도 있다. "그건 내 문제가 아니라 내 뒷사람 문제야." 그러나 시간이 지나면 다음과 같은 변명은 통하지 않는다. "나라고 어떻게 미래를 알 수 있겠어?" 혹은 "당시의 자료로는 그걸 알기가 어려웠어."

"주여, 저들을 용서하소서! 저들은 자신이 무슨 짓을 하는지 모르고 있습니다."

크라우스의 패러디를 알고 나면 이 성서 구절도 한층 더 도발적으로 들린다. 자신이 무슨 짓을 하는지 모르는 사람은 그 결과를 예상할 수 있는 사람보다 자기 책임이 훨씬 작다. 하지만 정말 자신이 무슨 짓을 하는지 모르는 사람에게도 일침을 가할 필요가 있다. 일부러 알려고 하지 않는 사람, 알려는 마음이 없고, 알고자 하는 노력을 기울이지 않는 사람 역시 마찬가지로 무거운 책임을 져야 한다.

●● **키워드** 결정, 책임

---

**카를 크라우스**(1874~1936) 오스트리아의 소설가, 에세이 작가, 문화 비평가. 자신이 발행한 평론지 《횃불》로 유명해졌고, 나중에는 이 잡지에 자신의 글만 실었다. 탁월한 언어 구사 능력과 신랄한 유머로 동시대의 언어와 문화, 사회의 쇠퇴에 항거했다.

---

055

# 다른 군대를 누를 수 있는 힘은 규모가 아니라 규율에서 나온다

조지 워싱턴 George Washington

조지 워싱턴은 분명 이렇게 확신하고 있었겠지만, 이 말을 강조할 수밖에 없었던 불가피한 사정이 있었다. 그가 신생 미합중국의 군사령관으로서 독립전쟁을 치를 때 그의 군대는 영국군에 비해 수적으로나 장비 면에서 현저히 열세에 놓여 있었을 뿐 아니라 군사 훈련도 제대로 받지 못한 오합지졸이었기 때문이다.

그러나 워싱턴은 이러한 명백한 약점을 직시하고, 거기서 난제를 해결할 긍정적 요소를 찾아냈다. 즉 아군의 약점을 원망하는 대신 바로 그 약점에서 문제 해결의 실마리를 찾고, 자신의 가장 취약한 부분부터 조직화하라는 조직론의 가르침에 충실히 따른 것이다.

독립전쟁 초창기까지만 해도 워싱턴은 병사들의 애국심을 믿을 수 있었기에 규율을 통해 이 애국심을 전투력으로 전환시키는 것을 자신의 과제로 여겼다. 그런데 시간이 지나면서 차츰 애국심이 식더니, 추운 겨울이나 여름 수확기에 병영을 이탈하는 병사들이 늘어났다. 이런 분위기 속에서도 부대의 자멸을 막고 영국군을 상대로 최후의 승리를 거둘 수 있었던 원동력은 남은 병사들의 추상같은 군기였다.

워싱턴의 경험에서 끄집어낼 수 있는 결론은, 적시에 조직 체계를 세우는 것이 장기적인 성공을 위한 결정적인 요소라는 점이다. 막 출발선상에 섰거나 아이디어나 프로젝트의 첫 감격이 채 식지 않은 순간에도 나중에 닥칠 난관을 미리 생각하고 있어야 한다. 규율은 조직 구성원들의 행위 지침을 만드는 것을 의미할 뿐 아니라 자신의 행위에 규범을 제공하는 것, 즉 자기관리를 의미한다. 광의의 의미에서 규율은 팀이건 기업이건 난관에 봉착했을 때 힘차게 딛고 일어서는 행위 통일체의 능력이다.

●● **키워드** 일상, 규율

---

**조지 워싱턴(1732~1799)** 미국의 장군이자 대통령. 영국을 상대로 벌인 독립전쟁에서 미국 군대를 성공적으로 이끌었다. 1789년에 신생 미합중국의 초대 대통령이 되었다.

---

056

# 좋은 치아는 최소한 판사 시보 시험만큼 가치가 있다

테오도르 폰타네 Theodor Fontane

모든 말이 반드시 읽자마자 바로 명쾌하게 이해되는 것은 아니다. 그런 점에서 폰타네의 이 말도 분명 다의적이다. 주의 깊게 거듭 읽어보아도 처음엔 어떤 방향으로 초점을 맞추어서 이해해야 할지 전혀 감이 잡히지 않는다.

무엇보다 이 말에서 흥미로운 점은 오늘날 시각으로 보면 색다르게 이해될 수 있다는 사실이다. 이른바 완벽한 외모가 선망의 대상이 되면서 너나할 것 없이 멋진 외모를 갖기 위해 온갖 육체적 고통도 마다하지 않는 이 시대에 폰타네의 말을 읽으면 반사적으로 이런 생각이 들 수밖에 없다. 19세기에 벌써 그가 인간들이 성형수술에 매달리고, 지방흡입술을 받고, 남자들까지 화장을 하는 시대를 예견했다고 말이다. 그래서 그의 말도 결국 훌륭한 외모가 최소한 훌륭한 교육 과정만큼 중요하다는 점을 지적하고 있다고 생각할 수 있다.

그러나 이는 폰타네의 본뜻을 오해한 것이다. 그가 말하고자 했던 바는 좋은 교육과 전문적인 지식도 성공을 위한 여러 전제 조건들 가운데 하나일 뿐이라는 사실이다.

언어의 대가인 폰타네가 '좋은 치아'라고 말했다면 이는 사람들이 반드시 갖추어야 할 '이를 악무는 행위'를 의미했을 것이다. 그렇지 않다면 '좋은 치아'가 아니라 '아름다운 치아'라고 썼을 것이다.

그렇다면 이를 악문다는 것은 무슨 의미일까? 일에 대한 열의를 뜻할까? 아니다. 이를 악문다는 것은 근면함을 뛰어넘는다. 사람은 상황이 어려울 때 이를 악물게 된다. 일에 대한 열의와 이를 악무는 것을 구분할 줄 아는 것은, 실행 과정에서 그때그때 부족한 점을 날카롭게 파악하는 시각을 얻게 된다는 의미이다.

폰타네의 시대에 판사 시보 시험은 재판부의 배석판사로서 법률적 수습 과정을 총 결산하는 시험이었다. 따라서 이 시험은 의심할 바 없이 일에 대한 열의와 근면함을 평가하는 시험이었다. 하지만 직장에서 성공하려면 이를 악무는 것과 '좋은 치아'도 필요하다.

게다가 이를 악무는 것은 종종 성격과도 동일시된다. 만일 누군가 위태로운 상황에 빠지면 사람들은 이제 그 사람한테 근성이 있는지 드러날 거라고 말한다. 물론 그것도 중요하지만, 동시에 그 사람에게 의지가 있는지 묻는 것도 중요하다.

이를 악무는 것과 의지는 어느 정도 성격과 관련이 있고, 목표와도 관련 있을 수 있다. 위기 상황에서 이를 악무는 근성이 드러나지 않는 것은, 의지나 목표 의식이 부족하고 쉽사리 일을 포기하는 나약한 성격임을 증명하기 때문이다.

●● **키워드** 관철, 경력

---

**테오도르 폰타네(1819~1898)** 독일 현대 소설의 창시자이자 소설 장르의 대가로 손꼽힌다. 그것도 일흔 살에 처음 소설을 쓰기 시작했다는 사실을 감안하면 놀라울 따름이다. 대표작으로 『슈테힐린Der Stechlin』, 『에피 브리스트Effi Briest』, 『예니 트라이벨 부인』이 있다.

---

057

# 스스로 움직이는 사람일수록 타인의 영향을 덜 받는다

프리드리히 니체 Friedrich Nietzsche

이 말을 달리 표현하면 자신을 스스로 조절하고 움직이지 않는 사람일수록 자유를 더 많이 잃어버리게 된다는 뜻이다. 그렇다면 스스로를 조절한다는 것은 무슨 의미일까? 이 말은 가슴에 새겨두어야 할 정도로 중요한 삶의 원칙을 말하고 있다.

스스로를 조절하고 타의에 움직이지 않는다는 것은, 자신의 소망과 목표를 실현하게 하는 행위규범을 자신의 삶과 행동에 부여한다는 의미이다. 이러한 행위규범은 가장 이상적인 경우, 많은 자유를 허용하고 자신의 약점이 만연하지 않도록 신경 쓰면서도 약점을 용납한다. 이러한 태도는 상당히 중요하다. 인간은 긴장을 풀고 휴식을 취해야 하고, 개성을 발전시키기 위한 자유 공간을 스스로 허용해야 하기 때문이다.

이를 강조하는 것은 천성적으로 질서를 잘 지키는 사람이 '오로지 질서가 전부'라는 잘못된 결론을 내리지 않도록 하기 위해서다. 그런 점에서 '좋은' 질서란 '무질서한 것', 그리고 '정리하고 싶지 않은 것'에도 일정한 여지를 허용하는 것을 의미한다.

질서와 규율은 원칙적으로 도달하고 싶은 것을 실행에 옮기는 보조 수단이자, 궁극적으로 자아의 자유를 누리는 데 도움이 된다. 니체의 말에도 이런 의미가 깔려 있다.

그가 말하고자 하는 바는 이렇다. 이런 보조 수단을 덜 사용할수록 그 수단을 이용하는 사람의 영향력에 들게 되고, 스스로 원치 않음에도 타인에게 자신에 대한 지배권을 내주어버리는 결과를 낳는다.

●● **키워드** 일상, 규율

---

**프리드리히 니체**(1844~1900) 독일 철학자. 니체 사상은 당시 문화에 대한 철저한 비판에서 출발해서 위선적인 가치를 극복하라는 요구와 함께 그 절정에 달했다. 그는 위선적인 가치 대신 반기독교적인 특징이 뚜렷하고 허무주의와 실존철학적 색채가 농후한 이념을 제시했다. 많은 저서들 중에 『차라투스트라는 이렇게 말했다』와 『안티크리스트』가 특히 유명하다.

---

058

# 군자는 만인을 한결같이 대하지만 소인은 패거리의 의리와 이익만 우선한다

공자 孔子

공자의 이 말은 결코 모든 공동체적 고리에서 벗어날 것을 옹호하는 말도 아니고, 모든 사적·공적 관계를 삼가라는 충고도 아니다. 공자 스스로 '가족' 같은 집단적 공동체에 높은 가치를 부여하고 있기 때문이다. 공자가 초점을 맞추고 있는 것은 공동체 내에서의 올바른 태도이다.

우선 '군자'와 '소인'의 개념부터 명확하게 정리해보자. 이는 사회적인 신분이나 서열의 개념이 아니다. 이를테면 군자는 고결한 귀족이고, 소인은 비천한 날품팔이가 아니라는 뜻이다. 오히려 군자와 소인의 차이는 정신적인 수양 정도나 내면의 태도에 달려 있다. 그런 의미에서 이 말에 드러난 군자와 소인은 최고 교육을 받은 엘리트든 일자무식 노동자든 상관없이 타인을 대하는 태도와 마음가짐에 따라 나뉜다.

구체적으로 말해서 군자와 소인은 패거리를 지어 패거리의 이익만 도모하느냐에 따라 구분된다. 이는 결코 연대와 충성을 의미하는 것도 아니고, 동료의 후원이나 육성도 아니며, 벗과 혈연에 대한 도움과도 거리가 멀다. 패거리 우선주의는 스스로 그 병폐를 잘 알고 있고, 그것이 양심에 반하는 행위인지 깨닫고 있음에도 특정 사람들에게 이익 또는 불이익을 줄 때 시작된다. 그런 행위를 하지 않는 것은 원칙적으로 그리 어렵지 않다. 매사에 최대한 공정하고 정의롭게 결정을 내리는지 스스로 되풀이해서 검증하면 된다.

그러나 인간은 객관적일 때가 드물다. 누구나 호감과 비호감이 있다. 하지만 무엇보다 직장 생활에서는 직원이나 동료들과 관련된 결정을 내릴 때, 합리적인 판단에 따르지 않고 사적인 감정이 작용하지 않았는지 늘 되돌아보아야 한다. 중요한 것은 가능한 한 공정하려고 노력하는 자세이다. 공정성은 규칙에 어긋

---

**공자**(BC 551~479) 중국의 철학자. 공자의 가르침은 지금도 특히 동북아시아를 중심으로 가정과 사회, 정치 분야에서 결정적인 영향을 미치고 있다. 공자의 가치체계는 위계적인 특징을 보인다. 순종과 의무 이행의 미덕에 바탕을 두고, 국가와 지도 계급에 높은 윤리성을 요구한다. 공자가 직접 쓴 글은 남아 있지 않고, 전해지는 문헌은 제자들이 기록한 것이다.
이 말은 『논어』 제2편(위정편)에 실려 있다. 원문은 '군자주이불비 소인비이불주(君子周以不比 小人比以不周)' – 군자는 두루 마음을 쓰면서 편당 짓지 아니하고, 소인은 편당을 지으면서 두루 마음을 쓰지 아니한다(독일인들의 논어 번역이 우리와 약간 달라 보인다. 그들이 어떻게 번역하고 해석하는지 살펴보는 것도 흥미로울 것 같아 독일어 원문을 그대로 옮겨보았다—옮긴이)이다.

---

나게 행동할 때 무너진다. 즉 특정 정보를 자신만 알고 내놓지 않거나, 팀원들의 동의 없이 협약을 맺거나, 능력보다 관계에 따라 상벌을 주는 행동들이 그렇다.

따라서 파벌에 얽매이는 것은 눈감아줄 관행도 아니고, 단순히 사회 지도층의 특정 행위 방식도 아니다. 이런 현상은 도처에 존재하고, 기업의 모든 영역에서 나타난다. 이는 해악이다. 왜냐하면 패거리주의는 팀의 사기를 떨어뜨릴 뿐 아니라 한 공동체를 여러 집단으로 분열시키기 때문이다. 게다가 창의력과 생산성을 파괴하기도 한다.

모든 사람이 패거리 문화의 가해자이자 희생자가 될 수 있다. 가장 극단적인 경우가 직장 내에서 벌어지는 '모빙'이다.

●● **키워드** 지도력, 공정함

# 지도자는 문제를 지적하면서 해결책도 제시해야 한다

말콤 포브스 Malcolm Forbes

사람을 이끈다는 것은 목표로 향하는 길을 제시하고 나아가는 것을 말한다. 명함에 '사장'이나 어느 단체의 '장'이니 하는 직책을 새겨 넣고, 직책과 연관된 권한을 부여받았다고 해서 다 지도자가 되는 것은 아니다. 지도자의 임무는 상당 부분 의무와 책임과 연관되어 있다. 그 점에 대해서는 모든 지도자가 열심히 고개를 끄덕일 것이다. 그리고 지도자의 책임하에 내려지는 결정이 그 구성원이나 기업의 경제적인 상황에 중요한 영향을 미치는 것도 사실이다.

다만 안타까운 것은 많은 지도자들이 여전히 전통적인 추장이나 부족장이 생각하던 수준 정도로 자신의 임무를 이해하고 있다는 사실이다. 즉 자신의 영향력을 배가시키거나 지키는 것만을 지도자의 임무로 알고 있는 사람들이 많다는 뜻이다. 절차나

격식을 강조하든, 자기 부서의 녹봉을 보장하든 거의 모든 행위가 이런 의식에 뿌리를 두고 있다.

그래서 많은 지도자들이 기업 전체의 운영과 발전에 자신이 어떤 막대한 책임을 지고 있는지 알고 있다고 격정적으로 고백하지만, 실은 말뿐인 경우가 많다. 누구나 인정하듯 그런 지도자는 나쁜 지도자이다. 그런 사람들은 문제 해결에 적극 나서지 않기 때문이다. 오히려 그들 자신이 문제일 때가 많다. 그들은 전체가 아니라 자신의 안녕을 위해 해결책을 마련한다.

미국 출판업자 말콤 포브스의 말은 지도자가 져야 할 중추적 책임을 지적하고 있다. 즉 지도부는 문제를 인식하고 해결해야 한다는 것이다. 더 나아가 해결책을 실행에 옮기는 것이 그들의 주요 과제이다.

●● **키워드** 지도력, 문제 해결

---

**말콤 포브스**(1917~1990) 미국의 출판 발행인. 경제 잡지 《포브스》를 창간한 포브스의 아들로 호화롭고 사치스러운 생활로 유명했지만, 물려받은 사업을 다년간 성공적으로 이끌었다.

이 말은 1980년 5월 12일자 《포브스》에 실렸다. "Executives who get there and stay suggest solutions when they present the problems."

---

060

# 아무리 급진적인 혁명가라도 혁명 바로 다음 날이면 보수적이 된다

한나 아렌트 Hannah Arendt

진보는 무엇이고, 보수는 무엇일까? 변화를 통한 보존은 언제 시작되고, 정체를 통해 보존하자고 하는 것이 위험해지는 때는 언제부터일까? 이와 관련해서 사회학자 한나 아렌트의 말은 너무나도 인간적인 메커니즘을 묘사하고 있다. 무언가 변화를 원했던 사람이 그것을 달성하자마자 나타내기 시작하는 메커니즘이다.

목표가 달성되는 순간 잃을 것이 생겨난다. 그런 의미에서 진정한 혁명가는 혁명이 성공한 뒤에야 알 수 있다. 그러나 아무리 급진적인 혁명가라도 승리를 거둔 다음에는 대부분 보수주의자로 돌아서고 만다. 혁명이 성공하는 순간에 스스로에게 새로운 목표를 설정할 것을 요구하는 사람은 극히 드물다. 달리 표현해서 무언가를 성취한 사람은 자신이 힘겹게 쟁취한 목표를 또다시 삶의 변화무쌍한 역동성과 새로운 혁명가들의 공격에 내맡기는 것을 체질적으로 싫어한다. 그것이 인간이다. 한나 아렌트의 말에 해당하는 인간의 범주를 좀 더 폭넓게 규정할 수도 있다. 자신의 가치에 집착하는 혁명가도 결국 보수주의자이기 때문이다. 조금 부드럽게 말하면 '가치 보수주의'라고 할 수 있다.

아렌트가 이 말을 통해 지적하는 것은 한 가지 더 있다. 우리가 혁명가라고 부르는 사람들 중 누가 (아직) 진짜 혁명가이고, 보수주의자라는 사람 중에는 누가 진짜 보수주의자로 불릴 수 있겠느냐는 점이다. 결국은 개념적 범주의 문제다. 가치중립적으로 생각하면 둘의 좋은 점들만 취하는 것이 최선이라는 결론에 도달할 수밖에 없다. 아렌트가 대립적으로 내세운 '혁명가'와 '보수주의자'라는 개념에서 좋은 것을 취한다는 것은 결국 그 개념들의 해체를 의미한다. 그렇게 되면 좋은 것을 실용적으로 '유지'하면서도(보수) '변화'시키는 태도(진보)를 동시에 지닐 수 있다. 남이야 그것을 '혁명'이라 부르든 '보수'라 부르든 상관없다. 이런 식으로 보자면 누가 보수적이고, 누가 혁명적인지는 상당히 의외의 결과로 나타날 수 있다.

●● **키워드** 분쟁, 변화

---

**한나 아렌트(1906~1975)** 독일 태생의 유대인 정치철학자이자 사회학자. 1933년에 프랑스 파리로 망명했고, 1941년 나치를 피해 미국으로 이주한 이래 뉴욕에서 살았다. 정치철학과 전체주의, 유대인 문제에 관한 저술을 남겼고, 특히 '예루살렘의 아이히만' 연구로 세계적인 유명 인사가 되었다.
이 말은 1970년 9월 12일자 《뉴요커》지에 실렸다. "The most radical revolutionary will become a conservative the day after the revolution."

---

061

# 적을 몰되 달아날 구멍은 남겨두라

손자 孫子

전쟁에서 적을 몰살시키는 것이 항상 중요하지는 않다. 적을 모조리 죽이려는 시도는 새로운 충돌을 부르기 때문이다. 따라서 원칙적으로 모든 분쟁의 목표는 무엇보다 자기편의 뜻을 관철시키고 승리를 거두는 것이어야 한다. 적을 섬멸하는 것을 목표로 삼아서는 안 된다. 분쟁을 야기한 것은 타인의 존재 그 자체가 아니라 상호간의 이해 충돌이기 때문이다.

고대 중국의 장수이자 병법가인 손자의 충고와 관련해서 이런 저런 반론이 가능하다. 적을 죽이지 않으면 적에게 복수할 기회를 주어 후환을 키우는 것은 아닐까? 가능한 일이다. 하지만 좀 더 깊은 성찰이 필요하다. 예를 들어 이렇게 자문해보자. 이번 전투에 승리한다고 해서 갈등이 완전히 사라지는가? 만일 그렇지 않다면 패배한 적에게 퇴로를 마련해주는 것이 오히려 갈등의 소지를 없앨 기회가 되지 않을까? 승리했음에도 개가를 부르지 않고 극단으로 치닫지 않는 것이 전투에 패한 적과 자신에게 장차 서로 평화롭고 우호적인 관계로 지낼 가능성을 열어주는 것은 아닐까?

적에게 달아날 구멍을 남겨줌으로써 공동의 평화가 존재할 수도 있다는 신호를 상대에게 줄 수 있다. 손자의 충고는 개별 분쟁에만 유익한 것이 아니라 만성적인 분규로 고생하는 기업이나 팀도 귀담아들을 만한 이야기이다. 언젠가 서로 화해할 수 있고 때에 따라서는 유대 관계를 맺을 수 있는 가능성을 열어두면 분쟁 해결에 큰 도움이 된다. 게다가 그런 태도는 실질적인 갈등 요인과 그 당사자를 구분할 가능성도 열어준다. 만일 상대 그 자체가 분규의 원인으로 보인다면 자신의 감정을 꾹 누르고 냉정한 태도를 취하는 것이 도움이 된다. 특히 얼음처럼 차가운 냉정함으로 적을 포위한 다음 퇴로를 열어주는 방법이 큰 효과를 발휘한다. 그럴 경우 승리의 기쁨이 배가된다. 왜냐하면 적에게 수치심을 안겨주지 않음으로써 장차 좀 더 평화로운 미래에 대한 싹을 틔울 수 있기 때문이다.

●● **키워드** 분쟁, 관철

---

**손자(BC 500년경)** 본명은 손무. 중국의 장군이자 군사 전략가였다. 전략과 경영을 다룬 『손자병법』은 간결한 경구 투의 함축적인 문체로 오늘날까지도 다방면으로 강한 영향을 미치고 있다.
이 말은 『손자병법』 군쟁편에 실려 있으며 원문은 '위사필궐(圍師必闕)'이다.

---

062

# 당당하게 받아들인 패배도 승리다

마리 폰 에브너 에센바흐 Marie von Ebner-Eschenbach

패배를 받아들이고 난관을 견디는 태도는 한 사람의 본질을 말해줄 뿐 아니라 심지어 그가 목표로 삼은 성공의 동력으로 작용할 때가 많다. 여기서 태도란 겉으로 드러난 모습을 가리키는 것이 아니라 패배와의 냉철한 대면을 피하지 않는 내면 태도를 말한다.

이런 태도는 본질적으로 두 요소로 구성되어 있다. 패배 원인에 대한 냉철한 자각과 패배에서 얻을 수 있는 교훈의 인식이다. 이 두 요소가 어우러진 내적 태도는 당당하게 패배를 받아들이는 외적 모습으로 표출된다.

마리 폰 에브너 에센바흐의 말 속에도 이런 인식이 깔려 있다. 당당하게 받아들인 패배는 그 사람의 인격과 목표, 가치관에 대한 고백이자 자기 긍정의 표현이다. 만일 패배를 당하긴 했지만 그 속에서 자신의 행동이 옳았다고 확신한다면 당당함은 자기 위안이자 시행착오를 고칠 수 있는 버팀목이다. 또한 자신이 실수를 저질렀고 그 잘못으로 인해 패배했다는 사실을 깨닫는 것은 잘못의 시인이고, 그러한 시인은 결코 패배가 아니라 승리이다. 최소한 자기 자신에게는 말이다. 그런 패배 속의 승리는 다른 많은 가식적인 승리보다 정신 건강이나 자기 발전 면에서 한층 낫다.

●● **키워드** 분쟁, 마음가짐

---

**마리 폰 에브너 에센바흐(1830~1916)** 오스트리아 여류 소설가. 두브스키 백작 가문의 딸로 태어난 에브너 에센바흐는 빈의 상류층과 빈민층 두 사회를 섬세하게 묘사한 소설과 희곡, 단편을 썼다. 대중적으로 가장 많이 알려진 작품은 『마을과 성 이야기』이다.

---

063

# 취향은 자주 바뀌지만 성향은 좀체 바뀌지 않는다

라 로슈푸코 La Rochefoucauld

이 말은 영원히 풀리지 않을 것 같은 고객의 행동 양식에 대해 정곡을 찌른 표현이다. 고객의 마음을 얻으려는 사람은 무척 다양한 힘들이 팽팽하게 작용하는 고객의 내면 영역으로 들어가야 한다. 이 영역에는 우선 단기적으로 번뜩이는 '감성'이 있고, 그 다음에는 꽤 장기적으로 영향을 미치는 '동기 부여'가 있으며, 마지막으로는 변화를 이끄는 것은 물론이고 외부에서 영향을 주는 것조차 훨씬 어렵고 질긴 '신조'가 있다.

취향은 변덕스럽다는 점에서(물론 변하지 않는 취향도 있다) 감성과 유사할 때가 많은 반면, 성향은 상대적으로 오래간다는 점에서 신조와 비교될 수 있다.

그렇다면 여기서 어떤 인식을 얻을 수 있을까? 좀 더 구체적으로, 기업 활동에 유익한 어떤 충고를 끄집어낼 수 있을까? 일단

이것부터 명심해야 한다. 개인이든 아니면 집단적 메커니즘이 작동하는 집단이든 감성과 동기 부여, 신조의 상호 작용을 확실하게 해석할 수 있다는 기대는 애초에 갖지 않는 것이 좋다.

중요한 것은 오히려 방금 언급한 집단적 메커니즘의 존재를 인식하고 기업 활동에 참작하는 것이다. 그래서 상품의 특성 및 마케팅과 관련해서 고객의 취향이나 성향에 맞출 수 있는지, 맞출 수 있다면 얼마만큼 맞출 수 있는지 깨닫는 것이 중요하다. 로슈푸코의 말도 그런 세심한 차별화에 주목하고 있다.

무척 유동적인 취향에 호소하는 소비재를 공급한다면 상품의 장기적인 수명을 반드시 염두에 둘 필요는 없다. 따라서 한편으론 위험을 분산시키는 제품 포트폴리오를 만들어야 하고, 다른 한편으론 고객이 몸담고 있는 시대적 흐름, 즉 유행 감각을 결코 잃어버려서는 안 된다. 그에 비해 오래가는 상품, 가령 생산재나 지속적으로 소비되는 생필품을 공급한다면 고객의 취향을 등한시해서도 안 되지만, 상품의 품질을 담보하는 것도 아주 중요하다. 따라서 상품의 불량률을 최소화하고 수준 높은 서비스를 제공하도록 힘써야 한다. 일반적인 성향상 인간은 자신이 지속적으로 대접을 잘 받고 있다고 느낄 때 충성심을 보이기 때문이다.

●● **키워드** 고객과 고객 만족, 마케팅, 시장 조사, 지속적 효과, 상품

---

**라 로슈푸코(1613~1680)** 프랑스 작가. 리슐리외 추기경과 루이 14세를 무너뜨리려는 귀족들의 반란에 가담했다가 실패로 돌아가자 정치 일선에서 물러나 인간의 본질과 악습에 관한 깊은 성찰을 담은 글을 써서 대중의 갈채를 받았다.

---

064

# 놓아야만 다시 즐거움을 얻는다

에바 마테스 Eva Mattes

'놓는다는 것'은 거리를 둔다는 의미이다. 한 가지 과제만 줄곧 물고 늘어지다 보면 어느 순간에는 붙들고 있는 것이 자기 관성에 의해 응고되기 마련이다.

독일 배우 에바 마테스의 말에서 놓는다는 것은 무언가를 포기하거나 그만둔다는 의미가 아니다. 오히려 이어지는 말에서 알 수 있듯 어떤 일에 너무 빠져 있음으로써 생기는 경직 상태에서 해방되어 손에 꽉 쥐고 있던 것을 풀어주라는 충고로 이해할 수 있다.

그런데 이러한 '놓음'의 본질은 '머무름'이자 '충실함'이자 '곧건함'이다. 에바 마테스가 말한 '놓음'의 의미는 이렇게 해석할 수 있다. 자신이 매달리는 일을 잊어버리고, 스스로를 성찰하고 되돌아보는 시간을 가지라고 말이다. 이런 놓음은 자신의 의도를 캐묻고, 자신의 목표를 기억하고, 새로운 시각을 발견함과 동시에, 경우에 따라서는 그것을 받아들일 가능성을 열어준다.

그래서 이것은 '붙잡음 속에서의 놓음'이다. 직장 생활에서는 에바 마테스의 말처럼 다시 즐거움을 얻기 위해선 거리감을 취해야 할 때를 정확하게 판단할 수 있는 눈을 기르는 것이 중요하다. 프로젝트가 잘 진척되지 않아 답답할 때나, 창의력이 필요한데 참신한 아이디어가 떠오르지 않을 때는 시간적·정신적 거리감을 확보하기 위해 일단 만사를 제쳐두면 의외의 큰 성과를 얻을 수 있다.

일반적인 직장 생활에서도 권태에 빠지지 않고 동력을 유지하기 위해선 완전히 다른 세계에 푹 빠져 의도적으로 업무와 거리감을 취하는 시간이 필요하다. 훌륭한 경영자라면 과제를 완수할 때뿐 아니라 평소에도 이런 '놓음의 미학'을 일관되게 사용할 줄 알아야 한다.

●● **키워드** 일상, 창의성, 실행

---

**에바 마테스(1954~)** 독일 영화배우. 라이너 베르너 파스빈더 감독의 영화에 출연하면서 유명해졌다. 페터 차덱의 작품으로 연극 무대에서도 성공을 거두었고, 2002년부터 인기 있는 텔레비전 범죄 시리즈 〈현장〉에서 여형사 클라라 블룸 역을 맡고 있다.

---

065

# 어떤 사람들은 사물을 있는 그대로 바라보면서 왜 그리 되었느냐고 묻지만, 나는 이제껏 존재하지 않았던 것을 꿈꾸면서 그것은 왜 안 되느냐고 묻는다

로버트 F. 케네디 Robert F. Kennedy

1968년 미국 대통령 선거 유세 도중에 암살된 로버트 케네디는 많은 연설에서 이 말을 했다. 몇 년 전 똑같이 암살된 그의 형 존 F. 케네디도 비슷한 맥락의 문장을 언급했다. 하지만 이 말은 원래 두 형제의 말이 아니라 아일랜드 극작가 조지 버나드 쇼의 희곡에서 따온 것이다.

이 말은 의미상 1960년대 미국에서 들불처럼 일어난 시대적 각성의 분위기를 표현하는데, 이 각성의 미국적 화신이 바로 케네디 형제였다. 그러나 이 말은 어떤 특정한 시국에 국한되지 않고 현 상황의 원인에 대한 탐구를 넘어 비전과 새로운 길에 대한 시선을 잊지 말아야 한다는 견해의 표현이기도 하다.

물론 이 말을 자구 그대로만 해석한다면, 현 상황에 대한 대처에는 별 관심이 없다는 뜻으로 오해할 만하다. 하지만 그런 해석은 너무 짧은 생각이다.

왜냐하면 케네디가 궁극적으로 지적하고자 한 바는 무엇보다 지도자가 갖추어야 할 중요한 태도이기 때문이다. 즉 지도자는 상황이 좋지 않은 현실만 바라보며 그것을 어떻게 처리할지 골머리를 썩일 게 아니라, 그것을 뛰어넘어 항상 건너편 강가를 바라보며 새로운 목표를 세운 뒤 달성하려고 애써야 한다. 근본적으로 케네디의 말은 지도자의 의무를 이렇게 간명하게 요약하고 있다.

'보존하면서 동시에 감행하라!'

●● **키워드** 비전, 목표와 목표 설정

---

**로버트 F. 케네디(1925~1968)** 미국 정치가. 존 F. 케네디의 동생으로 1961년에서 1964년까지 미 법무부 장관을 지냈고, 1965년에 뉴욕주 상원의원이 되었다. 1968년에 대통령 후보 지명을 위한 선거 유세 도중 암살당했다.
이 말은 로버트 케네디가 1968년 대통령 선거 연설에서 자주 인용했다. "Some men see things as they are and say, why; I dream things that never were and say, why not." 원래 조지 버나드 쇼의 『므두셀라로 돌아가라』 1막에 실려 있다. 원문은 다음과 같다. "You see things; and you say 'Why?' But I dream things that never were; and I say 'Why not?'"

---

066

# 역사가 되풀이되고 예상치 못한 일이 반복해서 일어난다면 인간은 얼마나 경험에서 배울 줄 모르는 존재인가

조지 버나드 쇼 George Bernard Shaw

경영자 학교에 역사 수업이라도 도입하라는 소리일까? 어쩌면 그것도 퍽 괜찮은 생각일지 모른다.

어쨌든 경제적 행동 방식의 특정 과정들이 지속적인 반복에 불과하다는 의심이 종종 솟구치는 것은 사실이다. 거시경제적 관점에서 경기 사이클의 부침이 그렇고, 미시경제적 관점에서 주식 투자자들의 태도가 그렇고, 경영적 관점에서 기업 경영진의 행위와 반응이 그렇다.

인간은 진짜 역사적 경험에서 배우지 못하는 것일까? 아니다. 기본적으로는 매우 잘 배운다. 다만 한심한 것은 그렇게 배우는 것이 너무 적고, 다른 한편으로는 역사에서 얻은 인식을 실천으로 옮기는 사람이 소수라는 점이다. 게다가 역사적 상황이 반복되는 경우 순식간에 견해들이 충돌을 일으킨다. 혹자는 이미 예전에 처했던 상황과 똑같은 메커니즘이 작동하고 있다고 생각하고, 혹자는 더 이상 그런 메커니즘은 통용되지 않고 다른 새로운 규칙이 작동한다고 항변한다.

어찌 됐건 역사에서 교훈을 얻는 것과 관련해서 어떤 영역에서건 결정권을 가진 사람에게 어떤 충고를 해줄 수 있을까? 최소한 타인의 경험에 대해 지속적으로 관심을 갖고 있어야 한다는 것이다. 예를 들어 해결책을 찾는 동인으로서 기업 내 각종 경험들은 최선의 현실적인 수단만큼 소중하다. 과거 잘못들의 원인과 과정, 그리고 인과관계가 현재의 잘못과 일치하는 경우도 드물지 않다.

중요한 점은 정치사건 기업사건 아니면 상품의 역사건 과거의 역사적 사실들을 집중적으로 공부하는 것이 아니라, 원인과 결과가 어떻게 연결되어 있고 어떤 메커니즘이 항상 되풀이되는지 깊이 탐구하는 것이다. 그러면 역사는 벌써 해결책을 준비해놓고 있을지 모른다.

●● **키워드** 분석, 결정, 경험

---

**조지 버나드 쇼(1856~1950)** 아일랜드의 소설가, 에세이 작가, 극작가. 주로 정치와 언론에서 활동하다가 나중에 문학으로 방향을 돌렸다. 많은 희곡 작품들로 20세기 영미권을 대표하는 극작가의 반열에 올랐고, 1925년에 노벨 문학상을 받았다. 주요 작품으로 『피그말리온』과 『워렌 부인의 직업』, 『성녀 조앤』이 있다.

---

067

# 누구나 머리 앞에 판자 한 장씩이 있다 중요한 것은 그 거리다

마리 폰 에브너 에센바흐 Marie von Ebner-Eschenbach

그렇다. 탁월한 전문가든 의심할 여지가 없는 대가든 누구나 창의력과 지식, 상상력의 한계가 있다.

이 비유가 말하고자 하는 점은 무엇일까? 많은 점을 시사하고 있는데 우선 사람들의 일반적인 편협함을 들 수 있다. 또한 얼굴 앞에 바짝 붙어 있어서 잘 안다고 생각하지만 실은 우리의 시야를 가려 시선을 왜곡시키는 대상에 대한 비유이기도 하다. 따라서 머리 앞의 판자는 우리가 잘 알고 있다고 믿지만, 실은 잘못 알고 있는 것을 가리키기도 한다.

에브너 에센바흐가 말하고자 하는 것은 눈앞의 판자가 자신의 얼굴에서 얼마나 멀리 떨어져 있는지를 가늠해보라는 이야기가 아니라, 예를 들어 절망적인 상황을 어떻게 창의적으로 극복할지, 추후의 과정과 관련해서 어떻게 최선의 결정을 준비할지 깊이 생각하라는 뜻이다.

결정을 내려야 할 상황에 처해 있다면 그 열쇠는 '거리'라는 단어 속에 있다. 거리는 이해의 한계를 표시한다.

일례로 한 프로젝트에서 중요한 결정을 내리기 전에 자신이 어디까지 아는지 그 한계를 정확하게 인식하는 것이 좋다. 그 경계를 의도적으로 긋는 행위, 즉 머리 앞의 판자를 정확히 인식하고 적당히 자리 배치하는 것은 프로젝트를 시작하는 데 소중한 지침이 된다.

이렇게 그어진 경계의 본질은 구체적으로 여기에 있다. 즉 결정의 순간, 예를 들어 상품 도입을 결정하는 순간, 목표 고객에 대해 어떤 정보를 갖고 있는지, 비용과 기한을 감안하면 일단 어떤 고객들을 포기해야 하는지 인식하는 것이다. 이런 부분들을 인식하고 나면 향후 프로젝트를 진행할 때 발생하는 갖가지 소모적인 노력을 줄일 수 있다.

•• **키워드** 분석, 분쟁, 연구

---

**마리 폰 에브너 에센바흐(1830~1916)** 오스트리아 여류 소설가. 두브스키 백작 가문의 딸로 태어난 에브너 에센바흐는 빈의 상류층과 빈민층 두 사회를 섬세하게 묘사한 소설과 희곡, 단편을 썼다. 대중적으로 가장 많이 알려진 작품은 『마을과 성 이야기』이다.

---

068

# 거짓말에는 세 종류가 있다 보통 거짓말, 심한 거짓말, 그리고 통계

벤저민 디즈레일리 Benjamin Disraeli

세간에는 통계와 관련된 부정적인 평가가 많다. 일례로 윈스턴 처칠은 이런 말을 했다고 한다. 물론 그의 입에서 직접 나온 말은 아닌 것으로 보인다.

"나는 내가 위조한 통계만 믿는다."

프랭클린 델라노 루스벨트 대통령도 통계에 대해 비판적인 입장이었다.

"통계만 보면 백만장자든 돈 한 푼 없는 사람이든 각자 오십만 달러를 갖고 있는 것으로 나타난다."

빅토리아 여왕 시대에 영국 총리를 지낸 벤저민 디즈레일리도 같은 맥락으로 통계에 대한 비판에 가세했다.

그렇다면 통계가 정말 그렇게 나쁜 걸까? 통계는 거의 위조된 것이라고 봐도 되는 걸까? 통계에서 유익한 정보를 끄집어낼 수는 없을까? 심지어 통계란 거짓말을 사실처럼 보이게 하는 도구에 불과할까?

이렇게 말해보자. 통계란 그냥 쉽게 믿어버리는 사람들에게는 효과적인 조작의 무기가 될 수 있다. 하지만 좀 더 신중하게 통계를 읽고, 그 배경을 분석하고 해석할 줄 아는 사람이라면 오히려 결정을 내리고 방향을 정할 때 아주 훌륭한 수단이 될 수 있다.

통계의 배경을 끈질기게 캐물어 들어가면 벌써 반쯤 승리를 거둔 것이나 다름없다. 통계에 담긴 진실을 발견하기 위해서는 통계의 배경을 캐묻고, 평가 토대를 세밀히 분석하는 것이 무척 중요하기 때문이다. 이 통계는 어떤 기준으로 이루어져 있을까? 어떤 집단을 표본으로 삼았을까? 어떤 물음이 배경에 깔려 있을까? 질문은 어떤 내용일까?

설문 조사든 수치상의 단순한 평가든 통계적인 검사 결과든 이런 식으로 철저한 검증이 이루어져야 한다. 그러면 통계에서도 값진 정보를 얻을 수 있고, 경우에 따라서는 조사 방식의 결점을 찾아낼 뿐 아니라 조작을 시도하는 측에 역공을 펼칠 수도 있다.

●● **키워드** 분석, 도구, 시장 조사, 통계

---

**벤저민 디즈레일리(1804~1881)** 영국의 정치인이자 소설가. 소설로 대중적 인기를 끌기도 했지만 그의 진면목은 정치에서 드러났다. 디즈레일리는 빅토리아 여왕 시절 카리스마 넘치는 막강한 총리로 역사에 기록되었고, 식민지 정책으로 영국의 세계제국 건설에 막대한 공헌을 했다.

---

069

# 태어나기 전에 일어난 일을 무시하는 것은 줄곧 어린아이로 머물겠다는 뜻이다

마르쿠스 툴리우스 키케로 Marcus Tullius Cicero

어른이 되어서도 어린아이의 본성과 시선을 어느 정도 유지하는 것은 중요하다. 하지만 줄곧 어린아이 상태로만 머물러 있으라고 충고하는 사람은 없다.

고대 로마의 유명한 정치인 키케로의 말을 잘못된 방향으로 해석하지 않도록 조심해야 한다. 혹자는 키케로의 말을 읽으면서 이맛살을 찌푸릴지 모른다. 따라서 이전 시대에 일어난 일을 무시하는 태도가 어린아이만의 특성이 아니라는 점을 분명히 해둘 필요가 있다. 하지만 키케로 말에 대해 결론부터 먼저 이야기하자면, 인간은 혼자 힘으로 발전해나가지 못한다는 것이다. 과거 인간들의 경험을 무시하면 귀중한 인식을 얻을 기회를 놓치고 만다.

그렇다면 역사를 열심히 공부하라는 뜻일까? 아니다. 키케로의 말은 역사를 알아야만 어른이 된다는 쪽으로 해석되어서는 안 된다. 하지만 역사를 무시하는 사람은 스스로 발전해나가지 못한다. 사물들의 관련을 이해하고 발전의 맥락을 파악할 줄 모르기 때문이다.

이 말과 여기서 끄집어낼 수 있는 인식에서 중요한 것은, 무엇보다 이미 존재했고 존재하는 역사적 관련들과의 치열한 논쟁이다. 이는 인간과 기업의 발전 및 성장 과정에만 해당되는 것이 아니라 창의력을 요하는 작업에도 필요하다. 새로운 아이디어는 종종 과거의 아이디어를 알고 있을 때 좀 더 빨리 떠오르기 때문이다.

옛것을 무시하고 어린아이 상태로만 머물러 있으면 모든 발전과 현상을 새롭고 궁금한 눈으로 바라볼 수도 있다. 언뜻 듣기에는 인간의 영혼에 퍽 근사한 말 같지만, 직장 생활에서 늘 어린아이처럼 궁금해하고 특정 사건들을 마치 처음 일어나는 것처럼 인지한다면 파탄에 이르리라는 것은 불을 보듯 뻔하다.

•• **키워드** 분석, 경험, 경력

---

**마르쿠스 툴리우스 키케로(BC 106~43)** 로마의 정치인, 문필가, 연설가. 키케로는 율리우스 카이사르가 로마의 일인독재권을 쟁취하고자 했던 시기, 그리고 카이사르 암살 뒤 훗날 로마의 초대 황제에 오른 아우구스투스가 안토니우스와 후계자 자리를 놓고 다투던 시절에 로마 정계에서 가장 비중 있는 정치인 중 하나였다. 청중을 휘어잡는 웅변가로서 명성이 자자했고, 삶의 거의 모든 분야를 망라한 방대한 저술로 라틴어 발전과 로마 사상에 지대한 공헌을 했다.

---

070

# 당신의 진면목이 머리 꼭대기에 앉아 고함을 치고 있기에 당신이 그와 반대로 하는 이야기는 내 귀에 들리지 않는다

랠프 월도 에머슨 Ralph Waldo Emerson

말과 행동이 극단적인 모순을 보이면 남들이 그 사람에 대해 갖고 있는 인상은 무너지기 마련이다. 미국 시인 랠프 월도 에머슨이 근본적으로 말하고자 하는 것은 한 인간 혹은 한 기관에서 한 말과 행동의 불일치가 반복되는 현상이다.

물론 이 말을 소개하면서 그런 일이 일어나면 얼마나 나쁜지, 그리고 그런 사람이 되어서는 안 된다는 점을 논의할 수도 있다. 하지만 그 수준에만 머무르면 좀 더 특별한 교훈을 얻지 못한다. 에머슨의 말을 한탄으로 받아들이지 말고, 오히려 순수하고 중립적인 확인으로 해석하는 편이 더 흥미로울 수 있다. 그의 말은 행위 결과를 수정하는 것과 그것을 설명하는 것은 별개의 문제라는 사실을 숙고해보라는 권고이다.

최고 교육을 받은 전화 서비스 상담원이라도 제품의 결함 때문에 초래되는 기업의 장기적인 피해는 막을 수 없다. 서비스가 엉망이거나 제품에 하자가 있을 경우 에머슨의 말에 상응하는 기업의 이미지가 생겨난다. 즉 '진면목이 머리 꼭대기에 앉아 위에서 고함을 치고 있는' 이미지에서 벗어날 수가 없는 것이다. 잘못을 시정하지 않으면 아무리 훌륭한 설명도 전혀 도움이 되지 않는다.

그런데 한심한 것은, 정작 제대로 된 설명이 필요한 제품에 오히려 엉터리 설명과 복잡한 설명서를 제공해 고객을 혼란에 빠뜨린다는 사실이다. 저절로 설명이 되는 제품을 만들기 위해 노력하는 대신 방대한 사용 설명서를 인터넷에 올려놓는 쪽을 선호하는 기업이 많다. 물론 고객이 인터넷에 접속해서 100쪽이 넘는 방대한 자료를 다운받아 출력할 수도 있다. 하지만 소프트웨어건 식기세척기건 사용 설명서를 꼼꼼히 들여다보지 않고도 사용할 수 있는 제품을 만드는 데 더 많은 노고를 기울이면 효과도 크고, 머리 위의 고함 소리도 작아질 것이다.

**키워드** 상품, 품질

---

**랠프 월도 에머슨(1803~1882)** 미국의 시인이자 철학자. 에머슨은 독일 관념론의 미국식 변형인 '초절주의Transcendentalism'의 대표자였다. 그의 저서 중 에세이와 문학 이론서가 특히 유명하고, 북미 철학자들에게 지속적인 영향을 미쳤다.
이 말의 원문은 다음과 같다. "Don't say things. What you are stands over you the while, and thunders so that I cannot hear what you say to the contrary."

---

071

# 찾지 않으면 더 이상 자신을 찾는 사람도 없을 것이다

장 파울 Jean Paul

이 말은 매사에 관심과 호기심을 보이는 태도가 중요하다는 의미이다. 그런 태도가 직장에서 성공하고 발전하는 데 아주 중요하기 때문만은 아니다. 이는 당연히 사생활과 인생 전반에도 해당된다.

물론 독일 작가 장 파울의 말을 일반화할 수는 없다. 달리 말해서 인생의 모든 영역, 어떤 관점에서도 '찾는 것'을 포기하지 않는다면 좋지 않은 결과를 낳을 수 있다.

하지만 직장 생활에서는 현 상태에 아무리 만족하더라도 항상 새로운 가능성에 대한 시각을 열어두고, 새로운 도전을 받아들일 자세를 갖추고 있어야 한다. 특히 자신을 앞으로 이끄는 것이 무엇이고, 자신의 발전에 적합한 것이 무엇인지 항상 신경을 써야 한다.

결국 '찾는' 행동이란 눈을 열어두고, 관계를 관리하고, 가능성을 인식하고, 새롭고 좋은 기회를 위해 적극 노력하는 자세를 의미한다.

찾지 않으면 더 이상 자신을 찾는 사람도 없다는 장 파울의 말에서 얻을 수 있는 것은 무엇일까? 아마 내가 찾지 않아도 남들이 알아서 나를 찾고 알아주리라는 기대를 버리라는 뜻이리라. 그러므로 항상 새로운 것에 대한 시선을 열어놓고 남들에게도 그런 신호를 주는 것이 중요하다. 굳어 있는 것은 정체를 의미하기 때문이다.

●● **키워드** 자기관리

---

**장 파울**(1763~1825) 독일의 소설가. 본명은 요한 파울 프리드리히 리히터이다. 독특한 작품 세계로 문학사의 이단아로 취급된다. 그의 지나친 환상적 기법은 가끔 사건 진행의 테두리를 뛰어넘기도 한다. 유명한 작품으로 단편소설 『종군 목사 슈멜츨레의 플래츠 여행』, 『마리아 부츠 선생의 즐거운 생애』와 장편소설 『가난한 변호사 지벤케스』, 『개구쟁이 시절』을 꼽을 수 있다.

072

# 판박이로 사는 사람은 패배자다

브루스 스프링스틴 Bruce Springsteen

이 말은 이미지의 문제를 지적한 것이 아니다. 여기서 말하는 것은 이미지를 만들어내는 시도이다. 그것도 단조로운 장난감 블록 같은 도구로 말이다. 판박이란 뭔가 특별한 것이 빠진 지루한 것을 의미하기 때문이다. 독일어에서 '판박이Klischee'라는 말은 인쇄 전문 용어로 '인쇄판'을 가리키는데, 붕어빵을 찍어내는 것처럼 상투적이고 틀에 박힌 것을 의미한다. 프랑스에서 들어온 이 말은 미국에서도 'cliché'라는 단어로 정착되었는데, 미국의 유명한 록 가수 브루스 스프링스틴도 이 단어의 의미를 잘 알고 있었던 듯하다.

여기 소개한 말에 스프링스틴만큼 잘 어울리는 사람은 없을 것 같다. 1970년 중반에 인기를 얻어 1970년대 말에 슈퍼스타로 떠오른 그는 틀에 박힌 모형 같은 삶에 빠질 위기에 처했다. 그의 대중적인 인기는 관중을 휘어잡는 직선적인 록 뮤직에만 있었던 것이 아니라 '그'라는 사람도 큰 몫을 했다. 스프링스틴은 노동자들의 애환과 삶을 노래했고 노동자 계급의 화신이었다. 거기다 자신의 노래에 인생의 많은 측면까지 담았고, 엄청난 카리스마로 콘서트에 온 관객들을 순식간에 사로잡았다.

로큰롤의 선구자로서 무(無)에서 이미지를 창출한 엘비스 프레슬리와 달리 스프링스틴은 이후 세대의 스타로서 비교와 복사판에 내맡겨졌다. 하지만 그의 말에서도 드러나듯 그는 이런 정형화에 굴복하지 않았다. 그를 어떤 틀에 박힌 모형으로 찍어내려는 사람들의 시도에 단호히 맞서 싸웠던 것이다.

틀에 박힌 모형에 빠지는 것은 비단 브루스 스프링스틴 같은 스타들만 겪는 위험이 아니다. 그런 모형은 곳곳에 도사리고 있고, 모든 이에게 들러붙을 수 있다. 종사하는 직업이나 분야만 이야기해도 선입견을 드러내는 사람들이 있다. 만일 성공을 위해 이런 판박이의 삶을 살기 시작하면—이것이 스프링스틴의 말의 핵심이다—잘못된 길에 빠질 수밖에 없다. 판박이와 연결된 기대들을 채워야 하기 때문이다. 그리되면 정체성 상실은 불가피하다. 애초부터 판박이에 완벽하게 맞아 들어가는 사람은 없기 때문이다.

●● **키워드** 자기관리

---

**브루스 스프링스틴(1949~)** 미국 록 음악가. 1970년대에 명성을 얻었고, '성실한 미국인 노동자'의 상징이었다. 그의 음악은 토속적인 시골풍 록이면서도 동시에 도회적이었고, 그는 관중을 사로잡는 열광적인 무대 매너로 인기를 끌었다.

---

073

# 자신을 어떻게 생각하느냐가 운명을 결정짓는다

헨리 데이비드 소로 Henry David Thoreau

사람은 살아가면서 줄곧 타인에 대한 의견만 형성해가는 것이 아니라 자기 자신에 대한 의견도 만들어나간다. 원하든 원치 않든 현실 경험은 줄기차게 자기 평가에 영향을 미친다. 무의식적으로라도 말이다.

신중한 사람은 의식적으로 자기 평가를 내린다. 자신의 행동에서 좋고 나쁜 점들을 깊이 숙고하면서 결론을 끄집어내고, 미래를 위한 교훈으로 삼는다.

스스로에 대한 평가와 자신의 장단점에 대한 깨달음은 어떤 결정을 내리거나 행동을 할 때 막대한 영향을 끼친다.

미국 작가 헨리 데이비드 소로의 말에서 얻을 수 있는 것은 무엇일까? 우선 사람은 자신의 장점을 찾아 발전시켜나가야 한다는 점이다. 자신을 낮게 평가하고, 스스로를 믿지 못하는 사람은 성공을 거두기 어렵다. 장점이 있는데도 그것을 인식하지 못하는 경우도 종종 있다. 이는 '내가 무엇을 할 수 있을까?' 하는 차원에서 장점을 찾는 사람들이 자주 저지르는 실수이다. '내가 할 수 있는 것'을 교육을 통해 습득된 기술로 생각하는 사람들이 많기 때문이다. 하지만 반드시 그런 것만이 장점이 되는 건 아니다. 오히려 내게 흥미로운 것이 무엇이고, 내가 좋아하는 것이 무엇인지 자문할 때 자신의 장점을 발견할 가능성이 더 높다. 자기 속에 잠재된 뜻밖의 능력이 보이기 때문이다.

그렇다면 자신의 강점을 깨닫는 것이 왜 중요할까? 그것은 긍정적인 자기 평가로 이끌어줄 뿐 아니라, 자신이 스스로를 어떻게 생각하고 있는지는 다른 사람들의 눈에도 쉽게 드러나기 때문이다.

●● **키워드** 자기관리

---

**헨리 데이비드 소로**(1817~1862) 미국의 소설가. 대표작 『월든』으로 세계적인 명성을 얻었고, 현대에 들어 자연과 더불어 살려는 사람들 사이에서 인기를 끌었다. 그의 책 『시민의 불복종』은 1960년대 시민운동의 정신적 원천이 되었다.
이 말은 『월든』의 첫 장 '경제'에 실려 있다. "What a man thinks of himself, that is what determines of rather indicates his fate."

---

074

# 자신이 어디서 왔고 어디로 가는지 모르는 사람은 정보를 가려낼 수 없다

닐 포스트먼 Neil Postman

미국의 미디어 비평가 닐 포스트먼의 이 말은 많은 사람들에 대한 경고이다. 구체적으로 말해서, 수립된 목표를 바탕으로 항상 정보를 수집·선택·분석·평가하는 작업을 게을리 해서는 안 되고, 그 과정에서 익히 알고 있다고 생각하는 것과 그렇지 않은 것도 신중하게 참작해야 한다는 뜻이다.

이 말에서 '정보를 가려낸다'는 것은 무슨 뜻일까? 이 물음은 결국 '정보란 무엇인가' 하는 문제와 연결되어 있다. 정보는 특정 목적과 목표에 없어서는 안 될 중요한 자료들이다. 그렇지 않을 경우 자료는 그냥 자료에 그치고 만다.

얼핏 들으면 너무 뻔한 소리 같지만, 그 차이를 구분하는 것은 매우 중요하다. 그래야 예를 들어 '마음대로 정보를 사용하라'는 표현이 완전히 새로운 의미로 다가올 수 있기 때문이다. 이 말이 정말 정보가 준비되어 있다는 뜻일까? 아니면 정리도 되지 않은 혼란스러운 자료만 펼쳐놓고 정보라고 우기는 것은 아닐까? 순수 자료가 걸러지지 않는 것은 물론이고 평가도 되지 않은 채 뒤로 밀리는 경우가 허다하다. 그래 놓고도 가당찮게 그런 것들을 정보라고 부른다.

이런 의문이 들 수 있다. 혹시 정보와 자료의 개념 구분이 경영 일상에는 전혀 도움이 되지 않는 단순한 말장난이 아닐까? 아니다. 정보와 자료를 구분하는 것은 효과적인 일 처리나 선택 과정에서 무척 중요한 몫을 차지한다.

모든 기업이 어떤 형태로든 구비하고 있는 '고객 자료'를 예로 들어보자. 일반적인 고객 자료에는 닐 포스트먼의 말 속에 숨어 있는 것, 즉 자료는 대개 목표에 맞게 평가될 때야 정보가 된다는 인식이 담겨 있지 않다. 왜냐하면 고객 자료 자체를 정보와 동일시하는 경우가 너무 많기 때문이다. 따라서 자료를 잘 알고 있다고 생각하고 자료를 체계적으로 구축하는 수고를 들이지 않으면, 정보와 그것이 지닌 잠재 가치를 놓치게 될 것이다.

이처럼 지속적인 고객 관리뿐 아니라 고객 자료에서 얻을 수 있는 정보를 끊임없이 평가하는 짜임새 있는 과정도 부족한 것이 현실이다. 예를 들어 고객의 인구 통계적 구조나 지리적 요인의 변화를 살펴보지 않고, 목표 집단 내의 잠재적 요소가 어디서 무너졌는지 구체적으로 평가 내리지 않는다는 것이다.

이유는 무엇일까? 포스트먼의 말에서 다시 대답을 찾을 수 있다. '자신이 어디서 왔는지' 모른다는 것은 '과거의 잘못을 잊어버린다'는 뜻이고, '어디로 가는지 모른다'는 것은 '자료를 다룰 체계적인 목표가 없다'는 것을 의미한다.

●● **키워드** 분석, 정보, 목표와 목표 설정

---

**닐 포스트먼**(1931~2003) 미국의 저술가, 미래 연구가. 1988년 대중매체와 사회를 비판한 『죽도록 즐기기』라는 책이 베스트셀러가 되면서 세계적으로 유명해졌다. 포스트먼은 이 책에서 기술의 변화가 사회의 변화를 초래한다는 사실을 논구해나갔다. 1992년에 출간된 『테크노폴리』에서는 기존의 입장을 한층 더 발전시켜 아무 생각 없이 대중매체를 이용하는 세태를 신랄하게 꼬집었다.

---

075

# 원칙대로 사는 것보다 원칙을 위해 싸우는 것이 항상 더 쉬운 법이다

알프레드 아들러 Alfred Adler

맞는 말이다. 그렇다면 오스트리아의 심리분석학자 알프레드 아들러의 이 냉정한 발언에서 무엇을 배울 수 있을까?

원칙을 위해 싸운다는 것은 외부적으로 자신의 의견을 관철시키는 것을 의미한다. 반면에 원칙대로 산다는 것은 화살을 내부로 돌려 자기와의 싸움에 돌입한다는 뜻이다. 일종의 자기 단련과 자제력이다. 이 싸움은 무척 어렵다. 자기 속에서 여러 역할, 즉 내적 갈등의 모든 당사자 역을 동시에 수행해야 하기 때문이다. 사람은 스스로에게 관찰자이자 감시자이면서 동시에 심판관이다.

일례로 자신이 남에게 요구한 행동 방식을 자기 스스로는 철저하게 모범을 보이며 살고 있는지 자문해보아야 한다. 그러지 않으면 자신이 스스로와의 싸움을 방해한다. 어쨌든 스스로에게 이런 질문을 던져본 사람이라면 어떤 인간도 완벽하지 않다는 것을 인정하고, 모든 사람, 심지어 원칙을 강력하게 부르짖는 사람도 불완전하다는 사실을 받아들일 수밖에 없다. 이것이 중요하고도 올바른 태도이다. 물론 상응하는 책임이 없고 단순히 그런 모순을 드러내주는 역할을 하는 사람이냐, 아니면 지도자 역할을 맡고 있는 사람이냐에 따라 차이는 있다. 책임을 진 사람은 원하든 원치 않든 모범적으로 살아야 하기 때문이다.

그런 점에서 알프레드 아들러가 말하고자 하는 바는 분명하다. 자신이 쟁취하고자 하는 원칙에 반하는 행동을 하지 말라는 것이다. 만일 원칙에 어긋나는 행동을 하면 자신이 싸우고 옹호하는 원칙 그 자체가 의심스럽게 비칠 수밖에 없다.

●● **키워드** 관철, 자기관리

---

**알프레드 아들러(1870~1937)** 오스트리아의 심리학자이자 정신과 의사. 지그문트 프로이트의 제자였지만, 나중에 스승과 결별하고 개인심리학을 창시했다. 성욕을 강조한 프로이트와 달리 아들러는 인간 행동의 주된 동기를 우월성과 권력에 대한 욕구로 보았다.
이 말의 원문은 다음과 같다. "It is always easier to fight for one's principles than to live up to them."

---

076

# 전쟁에 이길 수 있는 사람은 올바른 평화를 조성하기 어렵고, 올바른 평화를 조성할 수 있는 사람은 결코 전쟁에서 이기지 못한다

윈스턴 처칠 Winston Churchill

과제가 다르면 그에 필요한 인물도 달라질 수밖에 없다. 이는 정치에만 해당하는 이야기가 아니라 직장 세계 곳곳에서도 그 예를 쉽게 찾아볼 수 있다. 많은 사람들이 비슷한 이미지로 떠올리는 '회사 사장'이라는 자리만 보더라도 그렇다. 기업의 상황에 따라 완전히 다른 성격의 지도자가 필요하다.

어떤 때는 전통적인 부분들이 위태로워질 정도로 새로운 길을 열어줄 신지식인적 사고의 소유자가 필요하고, 어떤 때는 실행과 타개에 능한 추진력 강한 사람이 필요하며, 또 어떤 때는 전체의 구제를 위해 가혹한 구조조정을 단행하고 과감하게 밀어붙일 줄 아는 개혁가가 있어야 한다.

영국 총리 윈스턴 처칠은 국가가 처한 여러 상황에 맞게 국정을 잘 이끌기 위해서는 상이한 능력과 재능, 성격, 태도가 필요하다고 했는데, 이는 기업을 이끌거나 프로젝트를 수행할 때에도 마찬가지다.

처칠의 말은 상이한 여러 상황뿐 아니라 기업 내의 업무 분야에도 전용될 수 있다. 일반적으로 기획 관리 파트의 전문가와 마케팅 전문가는 그 분야의 요구에 걸맞게 매우 상이한 시각을 지니고 있어야 하기 때문이다. 이를테면 기업의 건강한 재정 구조를 위해서는 능력 있는 회계 전문가가 필요하고, 고객을 확보·관리하는 데엔 다른 시각을 지닌 사람이 있어야 한다. 기업의 입장에서는 어떤 시각도 포기할 수 없다.

●● **키워드** 분업

---

**윈스턴 처칠(1874~1965)** 영국 정치가. 2차 대전 당시 영국 총리로서 히틀러가 이끈 독일에 맞서 싸운 유럽연합군의 핵심 지도자였다. 뛰어난 연설가이자 탁월한 역사 저술가이기도 하다. 1953년에 노벨 문학상을 받았다.
이 말의 원문은 다음과 같다. "Those who can win a war well can rarely make a good peace and those who could make a good peace would never have won the war."

---

077

# 나는 내가 좋아하지 않는 모든 것에 내가 좋아할 만한 이면이 있다는 점을 당연하게 여기면서 내 인생을 만들어나갔다

코코 샤넬 Coco Chanel

이 말은 스스로에 대한 강력한 동기 부여를 가리킨다. 프랑스의 전설적인 유행 창조자 코코 샤넬의 말을 풀이하면, 모든 테제에는 안티테제가 있듯 나쁘다고 생각한 것 속에도 그에 상응하는 좋은 측면이 있기 마련이다. 코코 샤넬의 엄청난 성공에는 이런 인식을 내면화한 것이 큰 몫을 차지했을 것이다. 더구나 인생을 출발할 때 지극히 열악했던 그녀의 상황을 떠올려보면 이 말에서 더욱 무게가 느껴진다. 그녀는 부모도 없이 가난하게 성장했고, 고아원에서 불우한 어린 시절을 보냈다.

코코 샤넬의 말에서 힘이 되는 것은, 어둡고 암울한 상황에서도, 그리고 모든 것이 음산하고 부정적으로만 보이는 순간에도 희망을 잃지 않고 스스로 비전을 만들고 동기 부여를 했다는 점이다. 철학에서도 모든 현상에는 그와 상반되는 등가적 요소가 있다는 인식이 수천 년 전부터 이어져왔다. 코코 샤넬의 말은 이런 철학적 사고의 일상적 변형으로 볼 수 있다.

자신이 좋아하지 않는 것, 자신을 짓누르는 모든 것에는 그와 반대되는 면이 존재한다. 그것을 찾고 깨닫는 것이 중요하다. 코코 샤넬이 이 말을 통해 간접적으로 요구하는 바가 있다. 과감하고 적극적인 태도를 취하라는 것이다. 마음에 들지 않는 것, 감수할 생각이 없는 것으로 인해 계속 불편해하지 말라는 의미이다. 대신 목표를 눈앞에 그리면서 항상 원하는 상황을 만들어가려고 노력해야 한다. 코코 샤넬의 말은 결국 자신의 행복은 자신이 만들어가야 한다는 요구이다. 그리고 그녀는 실제로 그렇게 살았다.

•• **키워드** 경력, 동기 부여, 비전, 목표와 목표 설정

---

**코코 샤넬**(1883~1971) 프랑스의 패션 디자이너이자 사업가. 짧은 검은색 스커트로 패션의 혁명을 일으켰고, 여성용 바지와 투피스로 여성 패션계에 새바람을 불어넣었다. 샤넬의 유행 창조와 함께 여성들은 처음으로 남성과 동등한 스타일로 옷을 입을 수 있었다.
이 말의 원문은 다음과 같다. "I invented my life by taking for granted that everything I did not like would have an opposite, which I would like."

---

078

# 안전한 길만 택하는 사람에게는 결코 발전이란 없다

마일즈 데이비스 Miles Davis

이 말은 기업주들에게 한 분기에 벌어들인 수입으로 즉각 새 지점을 열어나가라고 하는 요구가 아니다.

미국의 유명한 재즈 음악가 마일즈 데이비스가 말하고자 한 것은 그의 인생길을 동행했던 좌우명이나 다름없다. 즉 최고가 되고자 하고, 그 과정에서 시행착오를 겪고 오해를 살 위험도 마다하지 않는 자만이 계속 성장해나갈 수 있다는 것이다. 이런 태도를 지녀야만 더 멀리 더 높이 있는 목표에 도달할 수 있다. 반면에 안전한 길만 걷고, 어떻게든 실수를 저지르지 않으려는 생각에만 매몰된 사람은 안정적인 성과를 거둘 수 있을지는 몰라도 머잖아 더 이상의 발전은 기대하기 어려운 지점에 다다를 수밖에 없다.

이 말을 사회적인 경력 관리에 적용하면 항상 새로운 길을 걷도록 노력하라는 의미이다. 그렇다고 끊임없이 직장을 바꾸라는 뜻은 결코 아니다. 쉼 없이 새로운 아이디어를 시험해보라는 뜻이다.

예를 들어 프로젝트 수행 과정에서 이런저런 방법을 시도해보는 것이다. 마일즈 데이비스는 바로 그런 방식으로 음악계에서 선구적인 결과를 낳았다. 그는 음과 악보, 화음을 다른 식으로 다루면서 그 길을 일관되게 걸어갔다. 또한 시장에 종속될 수밖에 없는 대중음악가로서 청중들의 부정적인 반응에 결코 용기를 잃지 않은 것도 성공의 한 요인으로 작용했다.

데이비스의 방식은 기업이나 프로젝트의 기획과 전략에도 그대로 적용할 수 있다. 이때 중요한 것은 수시로 위험성을 가늠해보면서도 위험한 길을 마다하지 않는 자세와 그로 인해 발생한 실수와 잘못을 경솔함으로 치부하지 않고 너그럽게 받아들이는 태도이다. 그런 식의 실수는 완벽에 이르게 하는 소중한 경험이기 때문이다. 데이비스는 가늠하기 어려운 모험의 길을 걸었고, 그로써 새로운 음악적 양식을 발견했다. 이처럼 개인이건 기업이건 정말 제대로 된 경지에 이르려면 실수를 두려워하지 말아야 하고, 실수를 하더라도 용기를 내야 한다.

●● **키워드** 경력, 실행, 목표와 목표 설정

---

**마일즈 데이비스(1926~1991)** 미국의 재즈 가수. 20세기 중반에 가장 영향력이 컸던 재즈 음악가 중 한 사람이다. 특히 그의 앨범 〈카인드 오브 블루Kind of Blue〉와 〈비치스 브류Bitches Brew〉는 재즈 발전의 지침이 되었다. 〈카인드 오브 블루〉는 쿨재즈로 발전했고, 〈비치스 브류〉는 재즈와 록의 퓨전 음악 시대를 열었다.

---

079

# 한 번 놀라게 했던 것이 다시 놀라게 하는 경우는 드물다

더글러스 애덤스 Douglas Adams

영국 작가 더글러스 애덤스는 어떤 깜짝 놀랄 상황에 처하게 되면 갑자기 엄청난 창작 욕구가 불타오른다고 설명한 뒤 이 말을 했다. 이런 점에서 놀라움은 창의성의 비타민이다.

그러나 이 말의 주제는 새로운 창의성이나 동기 부여를 낳는 기술이 아니다. 오히려 타인을 놀라게 하는 것이 어떤 방식으로 어떤 상황에 활용되느냐에 따라 달라질 수 있다고 보는 관점이 흥미롭다.

남을 놀라게 하는 것은 갈등과 분쟁 상황에서 쓰는 도구이다. 하지만 다른 한편으로 이런 전술은 남의 관심을 끌기 위해 사용하기도 한다.

갈등 상황에서 상대를 놀라게 하는 것은, 타인의 마음을 움직일 목적으로 예상치 못한 행동을 하거나 무언가를 연출하거나 혹은 무언가 잘못된 행동을 보여주는 것을 의미한다. 포커 게임에서 의도적으로 상대를 속이는 전술도 이러한 원칙에 뿌리를 두고 있다.

고객의 관심을 끌고자 할 때 놀라움은 아주 탁월한 수단이다. 하지만 놀라움의 효과와 관련해서 덧붙이자면 똑같은 방법을 다시 사용하는 것은 고객에게 먹힐 가능성이 극히 희박하다. 예를 들어 예상치 못한 파격적인 가격으로 고객을 놀라게 했다면 다음번에는 가격을 더 떨어뜨리든지, 아니면 그 상품에 뭔가 더 획기적이고 놀라운 것이 담겨 있어야만 고객을 놀라게 할 수 있다.

"넌 항상 나를 놀라게 해."

이 말은 반복되는 놀라움의 표현이다. 하지만 주의하기 바란다. 이것은 놀라움의 표현일 뿐, 놀라움의 반복에 대한 반응은 아니라는 것을.

●● **키워드** 분쟁, 광고, 경쟁

---

**더글러스 애덤스(1952~2001)** 영국의 소설가. BBC 텔레비전 시리즈로 성공을 거둔 소설 『은하수를 여행하는 히치하이커를 위한 안내서』로 유명해졌다. 사이언스 픽션의 틀 속에서 독특한 방식으로 삶의 거의 모든 문제를 다룬 소설을 여러 편 발표했다.

---

080

# 쓰레기 만드는 일을 하려 한다면 거기서 최고의 쓰레기가 되어라

리처드 버튼 Richard Burton

이 말은 아마 배우에겐 가장 중요한 불문율 중 하나일 것이다. 다시 말해서 엉망이 될 조짐이 보이는 연극이나 영화를 함께하더라도 그 안에서 환하게 빛나도록 노력하라는 말이다. 주위의 우주가 온통 암흑에 휩싸여 있더라도 별은 반짝거리기 때문이다.

이 원칙이 배우에게만 해당될까? 천만의 말씀. 영국의 유명한 배우 리처드 버튼의 말은 기본적으로 모든 직업의 준칙에 해당한다.

혹자는 이렇게 생각할지 모른다. 리처드 버튼의 말은 결국 '무슨 일을 하더라도 최선을 다하라'라는 표현의 변형이 아니냐고 말이다. 전적으로 틀린 이야기는 아니지만, 그렇다고 정확한 의미도 아니다. 버튼의 말에서 핵심은 일이 꼬일 대로 꼬여 위태롭게 돌아가는 상황에서도 흔들림 없는 태도를 견지하라는 것이다. 배우의 입에서 이런 충고가 나온 것은 결코 우연이 아니다. 이런 직업을 가진 사람들은 이미지로 먹고살기 때문이다. 하지만 이 분야에서 일가를 이룬 사람들은 최악의 조건에서도 무너지지 않고, 웃음거리가 되지 않는 법을 알고 있다. 그것은 그들의 재능과 능력 때문이라기보다 자신이 하는 일에 대한 고도의 직업 정신 때문이다.

이제 프로젝트나 기업의 일상으로 눈을 돌려보자. 리처드 버튼의 요구가 여기서도 효과를 발휘한다는 것은 쉽사리 알 수 있다. 개인적인 성공과 동기 부여를 위해서는 환경과 조건이 아무리 열악하더라도, 그리고 동료들이 아무리 의기소침해 있더라도 신경 쓰지 말고 최선을 다하는 것이 절대적으로 중요하다.

●● **키워드** 마음가짐, 경력, 동기 부여, 품질, 자기관리

---

**리처드 버튼(1925~1984)** 영국 출신 영화배우. 엘리자베스 테일러와의 관계로 연예 신문에 오랫동안 많은 가십거리를 제공했다. 그럼에도 버튼은 기본적으로 매우 뛰어난 배우였다. 〈성난 얼굴로 돌아보라〉와 엘리자베스 테일러와 함께 출연한 〈누가 버지니아 울프를 두려워하랴〉에서 뛰어난 연기를 선보였다.
이 말은 1984년 8월 20일자 《뉴스위크》 지의 기사 〈그의 영화에 관하여〉에서 인용했다. "If you're going to make rubbish, be the best rubbish in it."

---

081

# 새로운 관점은 아직 일반화되지 않았다는 이유만으로 항상 의심받고 근거 없이 거부당하기 일쑤다

존 로크 John Locke

새로운 관점이란 언제나 옳고 그름이 아직 입증되지 않았다는 문제를 안고 있다. 영국의 유명한 철학자 존 로크가 여기서 지적하는 것도 새로운 관점이 안고 갈 수밖에 없는 독특한 결함이다. 즉 새로운 관점이란 아직 동의를 얻지 못했거나, 아니면 아직까지 절대 다수에게 수용되지 못한 경우가 많다. 여기서 절대 다수는 일반적 공공재의 수호자이면서 권력자이다.

그런 점에서 새로운 관점에 대한 불신은 대개 확신의 부재에서 생겨나지만, 더 나아가 현실 권력 관계에서 생겨나기도 한다. 다시 말해서 사람들은 새로운 관점의 등장과 함께 혹시 자신에게 불이익이 생기지 않을까 하는 두려움 때문에, 혹은 그것이 변화를 요구할 때가 많다는 이유로 새로운 관점에 반대표를 던지는 경우가 드물지 않다.

그런데 새로운 관점을 관철시키는 데 실패하는 것은 단순히 이렇게 쉽게 인식할 수 있는 행동 방식 때문만이 아니라 모든 사회와 무리, 환경에 내재하는 전형적인 집단적 메커니즘에 그 원인이 있기도 한다.

이런 집단적 메커니즘에서 예외인 사람은 거의 없다. 이유는 간단하다. 누구든 어떤 무리에 끼고 싶어 하기 때문이다.

무리에 속하려는 욕망이 무의식적으로 해당 집단의 합의를 받아들이도록 유혹할 때가 많다. 학교에서 다른 친구들과 똑같은 놀이를 하려는 아이들이 그렇고, 언제부턴가 골프를 치기 시작하는 경영자들이 그렇다. 골프를 치면 자기 신분에 걸맞은 사람과 환경을 만날 수 있다고 기대하기 때문이다.

사람은 다른 이들과 똑같아지기를 원하고, 같은 무늬를 가지길 바란다. 동일한 관심은 소속감을 준다.

자동차나 옷, 혹은 그 밖의 다른 것들을 선택할 때도 비슷한 메커니즘이 작동한다. 사람들은 남의 눈에 튀지 않고, 남들과 비슷한 것을 하고자 한다. 자칭 개인주의자나 주변인들도 마찬가지다. 물론 일반화의 기준은 다르겠지만 말이다.

이런 인식을 배경으로 '새로운 관점'에 대해 결론을 내려보자.

---

**존 로크(1632~1704)** 계몽주의의 대표적 철학자. 인간의 인식에 관한 저술 외에 경제 이론을 다룬 저서도 집필했다. 하지만 무엇보다 국가에 관한 저술로 인간 역사에 큰 영향을 끼쳤다. 권력 분립과 정교분리(政敎分離)를 요구한 그의 정치 이론은 프랑스혁명뿐 아니라 북아메리카와 오스트레일리아, 유럽에서도 민주주의의 정신적 토대가 되었다.

---

새로운 관점은 심심찮게 일반적으로 통용되는 것들을 뒤흔든다. 또한 익숙한 것을 문제 삼을 뿐 아니라 사람들이 오랫동안 간신히 찾은 합의를 깨뜨리기도 한다.

그런 점에서 새로운 관점에 대해 거부 반응을 일으키는 건 충분히 이해할 수 있다. 따라서 새로운 관점을 제시하고 관철시키고자 한다면 사람들의 두꺼운 벽을 뚫을 각오를 해야 한다.

•• **키워드** 분쟁, 관철, 변화

082

# 정상에 오르기 전까지는 산의 높이를 재지 마라 오르고 나서야 산이 얼마나 낮았는지 깨닫게 될 것이다

다그 함마르셸드 Dag Hammarskjold

어떤 일을 시작하기도 전에 그 일에 얼마나 많은 노고를 들여야 하고, 얼마나 많은 난관이 기다리고 있는지 안다면 선뜻 그 과제와 도전을 향해 과감하게 밀고 나아가기는 어렵다.

유엔사무총장이었던 스웨덴의 다그 함마르셸드는 목표나 과제로 나아가기에 앞서 갖추어야 할 자세를 지적하고 있다.

사람들은 대개 특정 목표를 설정할 때 그 과정에서 발생할 수 있는 기회와 위험, 그리고 장단점을 따진다. 여기서 목표란 자발적으로 선택한 것일 수도 있고, 외부에서 주어진 것일 수도 있다.

자의건 타의건 한번 세운 목표를 추진할 때는 이 말이 상당히 큰 효과를 발휘한다. 함마르셸드는 이렇게 충고한다. 스스로 선택한 목표를 달성하고자 할 때는 도중에 어떤 위기와 저항이 닥치더라도 결코 낙담하지 말아야 한다고. 또한 온갖 어려움에도 불구하고, 혹은 완전히 겁에 질린 순간에도 목표까지의 거리가 그리 멀지 않았을 가능성을 생각해야 한다. 원치 않는 과정을 거쳐야 할 때도 마찬가지다.

또 함마르셸드의 말은 과정의 길이뿐 아니라 과정의 상태와 관련한 격려이기도 하다. 미리 난관을 예상하고 머릿속으로 모든 가능성을 그리다 보면 걱정이 생길 수밖에 없는데, 목표에 도달하고 나면 그 걱정은 쓸데없는 것으로 증명되기 때문이다. 이처럼 산은 예상보다 높지 않을 때가 많다.

●● **키워드** 프로젝트 관리, 실행, 목표와 목표 설정

---

**다그 함마르셸드(1905~1961)** 스웨덴의 경제학자이자 정치인. 1953년에 유엔 사무총장으로 선출되었다. 수에즈 운하와 관련된 위기와 콩고 내전이 발발했을 때 유엔평화유지군 투입으로 평화 복구에 심혈을 기울였다. 콩고 위기를 중재하러 가는 도중에 원인 모를 비행기 추락 사고로 목숨을 잃었다. 1961년 사후에 노벨 평화상을 받았다.

---

083

# 스물다섯 살에는 누구나 재능이 있지만, 나이 쉰에 재능을 가지기란 어렵다

에드가 드가 Edgar Degas

재능은 그것을 타고난 사람이 반드시 지켜야 할 약속이다. 젊을 때는 재능 속에 뭔가 안심이 되고 희망이 넘치는 요소들이 담겨 있다. 재능이란 끊임없이 새로운 능력과 가능성, 길을 발견하게 해주는 원천이기 때문이다.

삶의 속성이 그런 것인지, 젊을 때는 자신의 재능을 망설임 없이 좀 더 용감하게 밀어붙이는 경향이 있다. 반면에 나이를 먹으면 경험이 쌓일수록 일이라는 게 꼭 뜻대로 풀리는 것이 아니고 저항도 만만찮다는 사실을 깨닫고, 자신의 한계를 짐작하게 된다. 그와 함께 자신의 재능을 다시 한 번 생각하게 되고, 정말 자신에게 그런 재능이 있는지 쉽게 의심에 빠진다. 그 때문에 프랑스 화가 에드가 드가의 말처럼 '나이 쉰에 재능을 가지기'란 젊을 때보다 훨씬 더 어렵다.

특별한 능력을 지닌 사람은 여러 면에서 뜻하지 않은 부진을 감수할 수밖에 없다. 이유는 무엇일까? 재능, 즉 어떤 일을 비교적 빨리 터득하는 선천적 소질은, 새로운 길을 가보고 다른 일들도 철저히 시험해보도록 부추기기 때문이다. 하지만 바로 그런 점이 저항을 부른다. 저항은 일 자체에서 생길 수도 있고, 체질적으로 새로운 것을 불편하게 생각하는 타인들 때문에 생기기도 한다.

그런 부진을 감수할 수밖에 없다면 이는 자기 재능에 닥친 시련이라기보다는 오히려 자신에 대한 도전이다. 부진은 견뎌내고 극복해야 한다.

그럼에도 항상 용기를 잃지 않고 자신의 재능에 도전장을 던지며 검증하는 것은 특별한 능력이다. 이것이 에드가 드가가 말하고자 하는 바의 핵심이다. 즉 나이와는 상관없이 자신의 재능을 꾸준히 육성하고 결코 포기하지 말아야 하며, 계속해서 그 재능으로 돌아가길 요구하고 있다.

●● **키워드** 교육, 경험, 경력, 자기관리

---

**에드가 드가(1834~1917)** 프랑스의 화가, 소묘가, 조각가. 인상주의를 대표하는 화가로 무엇보다 우연히 포착한 순간을 회화의 결정적인 요소로 끌어들였다. 또한 아직 초기 수준에 머물러 있던 사진술의 시각적 효과를 새로운 기법으로 표현했다. 그의 그림 중에서 발레 무용수와 경마 장면을 그린 작품들이 특히 유명하다.

---

084

# 나는 한 곡을 작곡하기 전에 몇 번씩 그 주위를 나 자신과 함께 빙빙 돈다

에릭 사티 Erik Satie

프랑스의 유명한 작곡가 에릭 사티의 말은 창작 과정을 염두에 두고 한 말이지만, 전략적인 기획에도 상당히 유익하다. 그의 말은 생각하고 조합하는 방식뿐 아니라 기획 전략과도 연관이 있기 때문이다. 그렇다면 음악을 작곡하는 것이 프로젝트 기획과 그리 다르지 않다는 말인가? 차라리 이렇게 바꾸어 말하는 편이 더 적확해 보인다. 작곡가를 가리켜 바로 훌륭한 전략가라고 말할 수는 없듯이 기획과 조직화에 재능이 있는 사람이라도 바로 작곡을 할 수는 없다. 하지만 이 두 부문에서 일치하는 것이 있다. 준비 과정상의 유사성이다.

이유는 분명하다. 기획이든 작곡이든 인과관계에 따라 결정되기 때문이다. 그런데 기획 영역에서는 비전문가도 이러한 메커니즘을 명확히 인식하고 있지만, 작곡 영역에서는 이런 메커니즘이 곧바로 이해되지는 않는다. 아마 음악에서 모든 음표가 이전 음표 및 다음 음표와 밀접한 관련을 맺고 있다는 점을 떠올리면 좀 더 쉽게 이해할 수 있을 것이다. 음표들이 서로 전제 조건이 된다는 의미는 결코 아니다. 음표와 화음에 일정한 질서와 논리가 있는 것은 분명하지만, 작곡가는 당연히 이러한 논리를 깨부술 자유와 가능성이 있다. 새로운 논리의 창조와 함께 말이다. 이때 새로운 논리가 재구성되기 어렵고, 이해하기 쉽지 않더라도 상관없다.

에릭 사티가 제시한 방법의 요체는 이렇다. 적합해 보이는 모든 측면에서 계획된 과정을 관찰하라는 것이다. '나 자신과 함께'라는 말은 창작 행위와 계획을 짜는 과정에 특별한 색조를 부여한다. 이 말은 도달한 것을 자아와 함께 검사하라는 태도를 가리키기 때문이다. 여기서 '나'는 일종의 조종 기관으로, 여러 가지 임무를 맡을 수 있다. 다시 말해서 자신의 요구와 소망, 목표, 취향, 도덕을 점검하는 판관이 되는 것이다. 이렇게 '그 주위를 빙빙 도는' 것은 상황에 따라, 프로젝트에 따라 자기 자신에 의해 변형될 수 있다.

에릭 사티의 말을 가슴에 새겨두면 때로 아주 유용하리라. 결국 최고의 통제 기관은 자신의 확신과 기준이기 때문이다.

●● **키워드** 창의성, 기획

---

**에릭 사티(1866~1925)** 프랑스 작곡가. 사티가 작곡한 곡들은 어떠한 각본과 논리도 따르지 않는 것처럼 보인다. 낭만주의의 영향에서 완전히 벗어난 그의 곡들은 현대음악과 입체파, 다다이즘, 미래주의에 강한 영향을 주었다. 대표적인 작품으로 피아노 곡 〈3개의 짐노페디〉와 발레 음악 〈파라드〉가 있다.

---

085

# 잘못을 일깨워주는 것도 필요하지만, 진실도 알게 해주어야 한다

존 로크 John Locke

이 말은 토론을 해보면 알게 된다. 상대의 그릇된 확신은 바위처럼 조각조각 깨부수어야 한다. 하지만 여기서 더 나아가 새로운 길과 새로운 해결책을 관철시키고 싶다면 해야 할 일이 하나 더 있다. 영국의 철학자 존 로크가 지적한 것이 바로 그 점이다.

그런데 현실에서는 상대의 오류를 납득시키느라 진땀을 빼고 나면 마찬가지로 중요한 두 번째 단계로 나아가는 것을 잊어버릴 때가 왕왕 있다. 즉 상대를 궁극적으로 자기편으로 끌어들여야 하는 과제를 등한시하는 것이다. 그것은 곧 존 로크의 표현을 빌리면 상대에게 '진실을 알게 해주는' 단계를 의미한다.

이러한 메커니즘은 거짓과 진실을 가려야 하는 상황뿐 아니라 반대 입장을 누르거나 단순히 신뢰를 얻어야 하는 상황에도 적용할 수 있다. 예를 들어 기업의 조직 개편과 관련한 갈등 상황에서 갖가지 이해관계에 얽힌 의견들을 물리칠 때도 그렇고, 새 고객을 확보하고 유지할 때도 그렇다.

전자의 경우는 반대자가 저항을 포기했다고 해서 미래의 적극적인 동참까지 보장하는 것은 아니기 때문이다. 마케팅의 경우도 마찬가지다. 큰 반향과 대대적인 관심, 심지어 수많은 첫 구매자들이 생겼다고 해서 그것이 바로 제품의 궁극적인 성공을 보장하지는 않는다.

●● **키워드** 분쟁, 관철, 변화

**존 로크(1632~1704)** 계몽주의의 대표적 철학자. 인간의 인식에 관한 저술 외에 경제 이론을 다룬 저서도 집필했다. 하지만 무엇보다 국가에 관한 저술로 인간 역사에 큰 영향을 끼쳤다. 권력 분립과 정교분리(政教分離)를 요구한 그의 정치 이론은 프랑스혁명뿐 아니라 북아메리카와 오스트레일리아, 유럽에서도 민주주의의 정신적 토대가 되었다.

086

# 나는 말보다 그림을 선호한다 그림으로 설명하는 것이 더 빠르고, 거짓말의 여지도 적기 때문이다

르 코르뷔지에 Le Corbusier

그렇다고 말하는 것 자체가 거짓말과 가깝다고 성급하게 판단 내려서는 안 된다. 스위스 출신의 유명한 프랑스 건축가 르 코르뷔지에의 말을 액면 그대로 받아들이면 그렇게 생각할 수도 있겠지만, 그것이 결코 본뜻은 아니다.

그림과 말을 대립시켜보면 말에 비해 그림에서 얻을 수 있는 장점들을 쉽게 찾을 수 있다. 물론 말이 지니고 있는 수많은 장점들을 잊어서는 안 된다.

그림의 장점들을 떠올려보면 직장에서 서로 대화를 나눌 때 어째서 그림을 대화 도구로 좀 더 자주 사용하지 않는지 의문이 들 정도이다. 그림으로 나타내면 사고에 구조를 부여한다. 가령 화살표나 순번 등을 이용하여 일정한 기호를 배열하고 짜 맞추면 언어로는 한참 동안이나 설명해야 할 전체의 연관성을 한눈에 명확하게 보여줄 수 있기 때문이다. 믿지 못하겠으면 컴퓨터의 정보 가공 순서도를 문장으로 설명해보라. 그러면 그림보다 말이 얼마나 설명하기 어려운지 금방 알 것이다.

그런데 르 코르뷔지에의 말을 전적으로 받아들인다면, 그림이 아니라 말로 설명할 때는 거짓말을 할 의도가 있다는 의미일까? 아니다. 여기서는 두 의사소통 기법 및 설명 기법을 반목시키는 것이 목적이 아니다. 르 코르뷔지에도 당연히 동의하겠지만, 말은 분명 인간의 가장 중요한 의사소통 수단 중 하나이다.

그렇다면 그의 말에서 이끌어낼 수 있는 가르침은 무엇일까? 설명을 할 때 도형과 도표를 활용하고, 그림으로 전체적인 윤곽을 일목요연하게 보여주면 말로 설명할 때의 어려움을 덜 수 있을 뿐더러 해결책도 한층 더 빨리 찾을 수 있다는 점이다.

●● **키워드** 분쟁, 도구, 소통

---

**르 코르뷔지에(1887~1965)** 스위스의 건축가, 도시 설계가. 본명은 샤를 에두아르 잔레. 다양하고 왕성한 작품 활동으로 유명한 르 코르뷔지에는 기능주의와 상징주의의 경계를 넘나드는 뉴욕 유엔 본부 건물과 롱샹 예배당 같은 건축 대작을 설계했을 뿐 아니라 디자인과 회화, 저널리즘, 도시계획 분야에서 주목할 만한 저술을 남겼다.

이 말은 《타임 매거진》(1961년 5월 5일자)에 실렸다. "I prefer drawing to talking. Drawing is faster, and allows less room for lies."

---

087

# 나의 예술만큼 즉흥적이지 않은 예술은 없다 성찰하고 거장들을 연구하는 것이 내 일이다

에드가 드가 Edgar Degas

에드가 드가는 재빨리 스쳐 지나가는 순간의 포착과 즉흥적인 대상 묘사에 심취한 인상주의 미술의 대표적인 화가이다. 오늘날 관점에서 보면 인상주의는 습관을 바꾸라는 급작스러운 요구와 새로운 것의 등장이 기존 사회에 얼마나 큰 반발을 불러일으킬 수 있는지에 대한 선명한 예이다. 비평가들은 인상주의자들이 역사를 무시한다고 비난했고, 그림을 그리다 만 것 같은 느낌이 든다고 질책했으며, 그림의 모티프도 잘못 표현했다고 비아냥거렸다. 한마디로 그림을 모르는 형편없는 화가들이라는 것이다. 그중에서도 드가가 집중포화를 맞았다. 당시로서는 혁명적인 화폭 구도를 통해 그림을 바라보는 방식을 바꾼 사람이 드가였기 때문이다.

당시 사람들은 드가의 그림이 풍기는 즉흥성을 보면서 그가 그림을 무척 빨리 즉흥적으로 그렸다고 착각했다.

그러나 드가의 작품은 결코 즉흥적인 결과가 아니라 상당히 계획적으로 탄생했고, 항상 과거 거장들의 그림에서 영감을 받았다. 이런 작업 방식은 본질적으로 다른 직업 영역과도 크게 다르지 않다. 어떤 일에서 누구보다 탁월한 성과를 노리는 사람이라면, 그리고 드가처럼 창조적인 일을 하든, 아니면 프로젝트를 이끄는 일을 하든 철저한 직업의식으로 똘똘 뭉친 사람이라면 대개 비슷한 방식으로 일을 처리해나간다. 그래서 다른 사람의 눈에는 이따금 즉흥적으로 보이거나, 어느 날 갑자기 떠오른 착상처럼 비치는 것도 대부분 드가의 말처럼 다른 대가들에 대한 연구와 강렬한 성찰의 결과이다. 이는 마케팅이든 기획이든 관리 영역이든 똑같이 적용할 수 있다.

●● **키워드** 분석, 창의성, 기획

---

**에드가 드가(1834~1917)** 프랑스의 화가, 소묘가, 조각가. 인상주의를 대표하는 화가로 무엇보다 우연히 포착한 순간을 회화의 결정적인 요소로 끌어들였다. 또한 아직 초기 수준에 머물러 있던 사진술의 시각적 효과를 새로운 기법으로 표현했다. 그의 그림 중에서 발레 무용수와 경마 장면을 그린 작품들이 특히 유명하다.

---

088

# 사업의 비밀은 남들이 모르는 것을 아는 데 있다

아리스토텔레스 오나시스 Aristoteles Onassis

수백 년 전부터 경제학자들은 정보의 현상과 본질, 그리고 경제적 행위 방식에 미치는 정보의 영향에 대한 문제로 골머리를 앓아왔다. 그리스의 유명한 선박업자 아리스토텔레스 오나시스의 말은 이런 문제의 핵심을 찌르고 있다. 사업상의 수많은 이해관계에서는 지식의 우위가 결정적인 성공 요인으로 작용하기 때문이다.

우리가 개인적으로 승리를 거두고, 자기 의견을 관철하고, 경쟁 상황에서 유리한 위치를 차지하는 것은 지식의 우위와 함께 시작한다. 고객을 확보하고 유지하는 데에도 지식의 우위가 필요하다. 그렇다면 이처럼 귀중한 자산을 어떻게 얻을 수 있을까? 훌륭한 교육이 첫 번째 카드이지만, 끊임없이 배워나가려는 자세도 그만큼 중요하다.

'지식의 우위'라는 말은 기업에도 해당된다. 타 기업과의 경쟁

뿐 아니라 기업 내에서도 지식의 우위는 중요하다. 물론 부정적인 경우에는 한 부서나 개인이 특별한 위치를 이용해서 지식을 독점하는 일이 벌어지기도 한다. 그런데 이런 비우호적인 독점적 지식이 많은 비판을 받음에도 불구하고 그 자체로 상당히 중요한 역할을 하는 것은 틀림없다. 이런 독점적 지식 또한 남들이 모르는 것에 대한 지식이자, 경쟁 상황에서 우위를 점하게 하는 지식이기 때문이다.

연구 개발도 독점적인 지식을 얻으려는 시도와 다름없다. 또한 시장 분석도 경쟁이나 목표 고객에 대해 무언가를 밝혀내고, 고객의 욕구와 성향, 행태를 알아내려는 시도이다. 따라서 제대로 시장을 연구하려면 언제나 남들이 아직 모르는 것을 알아내려고 시도해야 한다.

지식은 어떤 경쟁 상황에서도 결정적인 역할을 하는 도구이다. 구매자가 됐건 판매자가 됐건 시장에서 남들보다 더 많이 알고 있다면 그것은 막대한 이점으로 작용한다. 오나시스가 엄청난 재산을 모으는 데도 그런 지식이 큰 몫을 차지했다.

●● **키워드** 정보, 경쟁

---

**아리스토텔레스 오나시스(1906~1975)** 그리스의 선박업자. 아르헨티나에서 담배를 수입해서 재산을 모은 뒤 선박 사업에 뛰어들었다. 서른 개가 넘는 선박 회사를 소유한 오나시스는 부동산과 은행 사업에도 투자했다. 그밖에 그리스의 최대 항공사도 그의 소유이다. 플레이보이 행각으로 세계인들의 이목을 끌었을 뿐 아니라 마리아 칼라스와의 연애와 재클린 케네디와의 결혼으로 센세이션을 일으켰다.
이 말은 《이코노미스트》(1991년 11월 1일자)에서 인용했다. "The secret of business is to know something that nobody else knows."

---

089

# 순응하는 사람은 지속적이고 진정한 성공을 거둘 수 없고, 사업을 통해 부자가 될 수도 없다

장 폴 게티 Jean Paul Getty

성공은 언제나 개인적인 척도의 문제다. 미국의 갑부 장 폴 게티가 성공으로 여긴 것은 이 문장의 두 번째 부분에서 분명히 드러난다. 즉 그에게 성공은 부자가 되는 것을 뜻했다. 실제로 그는 헤아릴 수 없을 만큼 엄청난 돈을 모았다. 그런데 그의 말은 부자가 되려는 사람뿐 아니라 평균 이상으로 성공하고자 하는 사람에게도 유익하다. 이 말에서 어떤 분야에서 성공을 거두려고 하는지, 성공의 척도로 삼은 기준이 무엇인지는 그다지 중요하지 않다. 게다가 개인적인 성공을 이야기하는 것도 아니다.

게티의 말은 프로젝트 수행이나 마케팅뿐 아니라 개인의 발전에도 상당히 유익하다. 원칙적으로 남과 다르고, 남과 다른 결과나 다른 길을 제시하는 것 속에 기회가 있기 때문이다. 남과 다르다는 것, 뭔가 특별하다는 것은 유리할 때가 많고, 평범한 무리 속에서 자신을 두드러지게 한다. 모든 위험 부담에도 불구하고 평범한 것과 자신을 구분해야만 평균 이상의 성공을 기대할 수 있다.

그렇다고 평범한 것에 묻어가는 순응하는 태도가 결코 나쁘다는 뜻은 아니다. 하지만 이것만은 명심해야 한다. 순응하는 사람은 기껏해야 순응의 테두리 안에서만 성공을 거둘 뿐이라는 것을. 금전적인 형태건 인정의 형태건 그런 사람이 기대할 수 있는 보상은 같은 일을 하는 다른 사람과 똑같은 범주에 머무를 수밖에 없다.

●● **키워드** 경력, 경쟁

---

**장 폴 게티(1892~1976)** 미국 석유업계의 억만장자. 탁월한 사업 감각으로 아버지의 석유 회사를 크게 키웠다. 한때 세계 최대의 유조선단을 보유했고, 세상을 떠날 무렵엔 세계 최고의 갑부로 불렸다.

이 말은 1961년 1월 10일자 《인터내셔널 헤럴드 트리뷴》 지에서 인용했다. "No one can possibly achieve any real and lasting success or 'get rich' in business by being a conformist."

090

# 굴하지 않고 견뎌내는 힘뿐만 아니라 새로 시작하는 힘도 중요한 에너지이다

F. 스콧 피츠제럴드 F. Scott Fitzgerald

이런 생각은 어떤 형태의 실패에서든 중요하다. 자신의 의견을 관철시키지 못했거나 프로젝트를 성공적으로 이끌지 못했더라도, 다시 한 번 시도하거나 새로운 목표로 나아가기 위해 에너지를 끌어 모으라는 것이다. 그러나 안타깝게도 이럴 때 힘을 내지 못하고 주저앉는 사람들이 많다.

이는 개인뿐 아니라 팀이나 기업도 마찬가지다. 이들 모두 동일한 메커니즘, 즉 저항 이후 새로운 단계를 위해 힘을 내야 하는 어려움에 처해 있다. 그런데 저항의 힘으로 승리까지 얻었다면 어떻게 될까? 미국 작가 스콧 피츠제럴드는 아마 이 말을 하면서 두 가지 가능성을 모두 생각했을 것이다. 다시 말해서 장기간 투쟁 끝에 패배했을 때도 그렇지만, 승리한 뒤에도 똑같이 새로운 에너지를 모아야 한다는 것이다.

그런 점에서 피츠제럴드의 말은 각고의 노력 이후에도 언제나 새로운 미래를 위해 다시 힘을 모아야 하는 인생의 이치로 이해할 수 있다.

이런 사실을 스스로에게 의식적으로 주지시켜 잠재적 에너지의 가능성을 인식하고, 스스로에게 새로운 활기를 부여하고, 경쟁이 끝난 뒤엔 자신의 결점을 되돌아보라는 권고이다. 이는 다음 경쟁, 다음 프로젝트, 다음 행위로 나아갈 에너지가 충분히 준비되어 있다고 스스로 믿고 있을 때에도 마찬가지다.

•• **키워드** 동기 부여, 실행, 목표와 목표 설정

---

**F. 스콧 피츠제럴드(1896~1940)** 미국 작가. 청년기에 1차 대전을 경험한 이른바 '잃어버린 세대'에 속하는 소설가이다. 피츠제럴드의 작품은 격동의 1920년대를 무대로 사교계와 부자들의 세계를 관찰, 묘사하고 있다. 대표작으로 『재즈시대 이야기』와 『위대한 개츠비』가 있다.

---

091

# 인간은 훈장을 위해 죽는다

나폴레옹 보나파르트 Napoleon Bonaparte

인간은 상징을 필요로 한다. 단순히 말로 칭찬하는 것만으로는 새로운 동기를 부여하는 데 한계가 있다. 그래서 칭찬을 공공연히 드러내는 상징이 필요하다. 성공은 겉으로 보여야 하기 때문이다.

프랑스혁명 이후 나폴레옹 보나파르트가 구체제의 복구를 꾀하는 유럽의 여러 왕실에 맞서 새로운 프랑스를 방어할 당시, 자유와 평등, 박애의 이념은 혁명군의 사기를 북돋우는 결정적인 힘이었다. 그러나 아무리 좋은 이념이라도 그에 걸맞는 상징 없이는 제대로 유지되기 어렵다. 나폴레옹은 그 사실을 재빨리 간파하고 부하들에게 수시로 작위와 훈장을 내렸다. 이는 군인들에게 새로운 동기를 부여했을 뿐 아니라 굳은 충성심까지 바치게 했다. 자신에게 훈장까지 하사한 조국이 위험에 처하는 상황을 방관할 군인은 거의 없기 때문이다.

기업도 마찬가지다. 사보에 이 달의 모범 사원 사진을 싣는 것은 상징을 통해 보상하는 가장 흔한 방법이다. 일부 기업은 합리적으로 잘 짜놓은 보상 시스템을 사원들의 사기 진작에 적극 활용하기도 한다. 보상 수단은 상패나 기념품에서부터 선물과 여행까지 아주 다양하다. 회사의 공용 차를 내주는 것도 권력과 사회적인 인정을 보여주는 중요한 상징적 수단이다. 직책과 명함이 훈장과 동일한 역할을 한다는 사실을 잊어서는 안 된다.

혹자는 이런 과시적인 행태를 우습게 여기고, 심지어 직위와 훈장같이 형식적인 것은 받지 않아도 상관없다고 말하지만 그 말을 액면 그대로 믿기는 어렵다. 오늘날 사람들이 명함에다 '실장'이나 '대표', '상무'와 같은 직책을 새겨 넣고 다니는 것을 우연으로만 생각할 수는 없기 때문이다. 누구도 직위와 훈장의 힘에서 자유로울 수 없고, 직위와 칭호를 통해 사람들에게 인정받고 싶은 심리에서 자유로울 수 없다. 물론 자신의 비중과 훈장을 조용히 향유하는 사람들도 있지만 말이다. 어쨌든 사사로운 허영심이란 누구에게나 있기 마련이라는 사실을 결코 잊어서는 안 된다.

●● **키워드** 지도력, 동기 부여

---

**나폴레옹 보나파르트(1769~1821)** 프랑스의 장군, 황제. 프랑스혁명 와중에 유명해졌다. 쿠데타를 일으켜 프랑스의 최고 권력자로 부상했고, 국가 체제를 바꾸어 스스로 황제에 올랐다. 수많은 출정과 찬란한 승리로 유럽 최고의 권력자가 되었지만, 러시아 원정 실패로 정치적인 치명상을 입었고 라이프치히 전투에서 연합군에 대패한 뒤 엘바 섬에 유배당했다. 마침내 워털루 전투 패배와 함께 폐위되어 세인트헬레나 섬으로 추방당했다.

---

092

# 최선을 다하겠다고 말하는 것은 무의미하다 필요한 일을 할 수 있어야 한다

윈스턴 처칠 Winston Churchill

'최선을 다하겠다'는 말은 상투적인 미사여구이다. 듣기에만 좋을 뿐 알맹이는 없는 형식적인 표현에 불과하다. 윈스턴 처칠도 바로 그 점을 지적했다.

'최선을 다하겠다'는 말은 상당히 막연하다. 주어진 과제를 어떻게 해결하겠다는 생각이 빠져 있기 때문이다. 이는 자신이 잘할 수 있다고 생각하는 것만 하겠다는 의미로 제한될 뿐이다.

따라서 최선을 다하겠다는 것과 필요한 일을 하겠다는 것의 차이를 지적하는 것은 결코 허무맹랑한 말장난도, 시비를 위한 딴죽 걸기도 아니다. 과제 해결을 위해서는 이 차이를 반드시 알아야만 한다. 단순히 해결되기만 하면 끝나는 과제도 더러 있기는 하지만, 그 해결에 필요한 일을 요구하는 과제가 대부분이다.

도전의 본질은 새로운 일이나 지금까지 시도할 엄두도 내지 못했던 일을 감행하는 데 있다. 우리의 삶과 직업은 필요한 일을 할 것을 요구하고, 처칠의 지적처럼 우리는 그렇게 할 수 있어야 한다.

●● **키워드** 실행, 목표와 목표 설정

---

**윈스턴 처칠(1874~1965)** 영국 정치가. 2차 대전 당시 영국 총리로서 히틀러가 이끈 독일에 맞서 싸운 유럽연합군의 핵심 지도자였다. 뛰어난 연설가에 탁월한 역사 저술가이기도 하다. 1953년에 노벨 문학상을 받았다.
이 말의 원문은 다음과 같다. "It's not enough that we do our best; sometimes we have to do what's required."

---

093

# 경쟁의 치열함에 대한 불평은 대개 새로운 아이디어의 부족에 대한 불평일 뿐이다

발터 라테나우 Walther Rathenau

이 말은 우선 경쟁에서 이기기 위해서는 새로운 아이디어와 능력이 필요하다는 사실을 지적하고 있다. 여기서 이런 요구가 나온다.

'상황만 탓하지 말고 해결책을 찾는 데 집중하라.'

상품 시장에서는 고객을 자기 쪽으로 끌어들이는 것이 지상 과제다. 이는 곧 고객에게 최고의 상품을 제공함으로써 고객의 총애를 얻기 위한 경쟁에서 상대를 물리쳐야 함을 의미한다.

어떤 때는 정말 우연히 필요한 시기에 필요한 상품을 개발해서 성공을 거둘 수도 있다. 그러나 장기적인 성공을 위해서는 그것만으로 부족하다. 최종적으로 고객의 마음을 잡으려면 꾸준한 상품 개선으로 경쟁자의 상품을 훌쩍 뛰어넘어야 한다. 이는 느슨한 창의성이 아닌 새로운 아이디어를 통해서만 달성할 수 있다.

발터 라테나우는 AEG의 창업주인 에밀 라테나우의 아들이다. 그는 가업을 물려받았을 뿐 아니라, 훗날 정치계에도 발을 들여 바이마르 공화국의 유력 정치인으로 성장했다. 그는 이 말에서 인간 사회에서 너무나 쉽게 볼 수 있는 행동 방식을 지적한다. 즉 경쟁에서 난관에 부딪히면 스스로를 개선하려는 노력 대신 일단 게임의 규칙부터 불평하고 보는 풍토를 지적한 것이다.

물론 게임의 규칙을 바꾸려는 시도도 경쟁의 일환이고, 때로는 경쟁 자체를 배제해야 한다는 목소리가 나오기도 한다. 하지만 장기적으로 최고의 해결책은 대부분 새로운 아이디어들의 경쟁을 통해서만 찾을 수 있고, 이는 현실에서 반복적으로 증명된다. 누군가 현재 경쟁에서 우월한 지위를 누리고 있다면 그것은 더 나은 아이디어 때문이지 경쟁을 둘러싼 환경 때문이 아니다.

●● **키워드** 아이디어, 경쟁

---

**발터 라테나우(1867~1922)** 독일의 유대인 기업가이자 애국주의로 똘똘 뭉친 정치인이었다. AEG 창업주의 아들로서 훗날 기업 감독위원회의 대표가 되었고, 1차 대전 중에는 독일의 군수경제를 조직하고 이끌었다. 바이마르 공화국의 정치인으로서 베르사유 조약으로 독일에 부과된 전쟁 배상금을 경감시키려고 노력했다. 정치와 사회에 관한 저술로 당시 많은 독자의 사랑을 받았다. 외무장관으로 재직 중에 퇴역 군인 출신 반유대주의자 두 명에 의해 암살당했다.

---

094

# 나라를 어떻게 이끌어야 할지 안다는 사람들이 모두 택시나 몰고 머리나 자르고 있는 것이 너무 안타깝다

조지 번즈 George Burns

별 생각 없이 읽으면 미국의 코미디언이자 배우인 조지 번즈의 이 말은 택시 운전사나 이발사를 무시하는 발언처럼 들린다. 하지만 겉보기에만 그럴 뿐이다. 진정한 의미를 깊숙이 숨겨놓은 말들이 흔히 그렇듯 이 말이 뜻하는 바를 제대로 되새기려면 좀 더 깊이 생각해보아야 한다.

세간에는 택시 운전사나 이발사에 대해 편견을 가진 사람들이 더러 있다. 그런 사람이라면 이 문장을 읽으면서 고소한 심정으로 자신의 편견을 즐기려고 할 것이다. 하지만 이 말은 원래 그런 뜻이 아니라 항간에 퍼져 있는 너무나 인간적인 메커니즘에 주목할 것을 요구하고 있다. 어떤 분야를 두고 비판만 할 줄 알지 전혀 책임은 지지 않으려는 태도에 대한 비판이 이 말 속에 깔려 있기 때문이다.

어떤 분야에 책임을 지려고 하거나 지고 있는 사람만 비판을 할 수 있다는 뜻은 아니다. 그렇게 되면 민주주의적 사고의 기본 전제가 무너지기 때문이다.

조지 번즈가 이 말을 통해 신랄하게 지적하고 있는 것은 우리 모두가 종종 빠지기 쉬운 태도, 즉 상대의 상황이나 관점은 전혀 고려하지 않고, 모든 것을 일반화시켜서 비판하는 태도이다. 나라를 이끌거나, 혹은 규모를 축소시켜서 기업을 이끄는 것은 인기상을 받기 위한 행위가 아니다. 만일 정치와 경영이 대중의 인기에 영합한다면 나쁜 결정을 내릴 때가 많을 수밖에 없을 것이다. 조지 번즈의 말에서는 비판적인 시각을 유지하면서도 모든 것을 일반화하지 않도록 노력해야 한다는 점을 배울 수 있다. 책임자들을 모두 싸잡아 비난하는 행동은 특히 갈등의 상황에서는 별 도움이 되지 않는다.

택시 운전사나 이발사의 생각처럼 경영자와 정치인들은 그렇게 무능하지도 않고, 자신의 이익만 생각하지도 않는다. 대체로 그들은 자신의 책임을 잘 알고 있다. 그런 책임감이 어떤 식의 압력으로 작용하는지는 책임자의 위치에 서본 사람이라면 누구나 알 수 있다. 일반인이더라도 그리 어렵지 않게 알 수 있으리라. 택시를 몰건 머리를 자르건, 아니면 다른 일로 돈을 버는 사람이건 간에 말이다.

●● **키워드** 마음가짐, 책임

**조지 번즈(1896~1996)** 미국의 코미디언이자 영화배우. 엽궐련을 무척 즐기는 것으로 유명했고, 할리우드 영화에 자주 출연했다. 코미디 영화 〈선샤인 보이The Sunshine Boys〉에서 월터 매튜와 단짝을 이룬 연기로 특히 대중의 사랑을 받았다.

095

# 인간은 아무것도 가르칠 수 없다 단지 자기 속에 있는 것을 발견하도록 도와줄 수 있을 뿐이다

갈릴레오 갈릴레이 Galileo Galile

인식과 지식은 언제나 갈릴레이에게 삶의 중심이었다. 그는 과학자로서 우주의 질서를 밝히고자 노력했고, 로마 교회와의 유명한 논쟁과 저술 활동을 통해 자신의 지식을 전달하려고 애썼다. 갈릴레이는 피사와 파도바를 비롯해서 여러 대학에서 학생들을 가르쳤다. 지구가 태양의 둘레를 돈다고 주장하여 종교재판소에서 유죄 판결을 받은 이후 교회의 지시로 죽을 때까지 가택연금 상태에 있으면서도 제자들과의 만남을 꾸준히 이어갔다. 그의 원고를 네덜란드로 몰래 빼돌려 갈릴레이의 마지막 중요한 저서가 그의 사망 직전에 빛을 보게 된 것도 제자들 덕이었다. 이 저서는 훗날 인류가 현대 물리학으로 나아가는 데 중요한 디딤돌이 되었다.

여기 소개한 갈릴레이의 말은 배움과 가르침의 메커니즘에 아주 특별한 시사점을 던져준다. 그런데 이 말에는 양면성이 있다. 우선 부정적으로 보자면, 어떤 문제를 이해하지 못하거나 배우지 못한 사람은 자기 안에 발견할 것이 전혀 없어서 그렇다는 의미로 해석할 수 있다. 반면에 긍정적으로 해석하면, 모든 인간에게는 이해의 씨앗이 근본적으로 내재해 있기에 그것을 싹틔울 방법만 찾으면 된다는 의미로 볼 수 있다. 뭔가를 배워야 하는 사람에게 이 말은, 자신이 어떤 문제를 즉시 이해하지 못하더라도 절망할 필요가 없다는 위안과 용기를 준다. 경우에 따라서는 자기 속에 감추어진 이해의 씨앗을 찾기 위해서 다른 논리로 접근하거나 방법을 바꿀 필요도 있다.

인간의 내면에 존재하는 이해의 씨앗을 발견하도록 도와야 하는 교사나 교육자에게 이 말이 요구하는 바는 이렇다.

'학생의 내면에 어떤 가능성이 잠재해 있고, 그 가능성을 어떤 방법으로 발견할 수 있을지 고민하라.'

●● **키워드** 교육, 학습

---

**갈릴레오 갈릴레이(1564~1642)** 이탈리아의 자연과학자. 자유낙하 법칙과 관성의 법칙을 계산해냈다. 자신이 직접 개발한 망원경으로 토성의 띠와 목성의 4개 위성, 그리고 금성의 모습이 바뀐다는 사실을 발견했다. 지동설을 주장해서 로마 종교재판소에 회부되었다. 그 후 죽을 때까지 집에 갇혀 지냈다.

---

096

# 바이올린을 만든 사람에게는 오로지 소리만이 보답이다

프리드리히 대왕 Friedrich II

노동의 대가로 받는 것 중에서 가장 중요한 수단은 당연히 돈이다. 하지만 가슴에 손을 얹고 생각해보자. 남에게 칭찬이나 인정을 받거나, 자신에게 잘 맞는 일을 하는 것도 그 일의 선택과 동기 유발에 중요한 역할을 하지 않을까? 그래서 어떤 사람들은 체면이나 위신 때문에 특정 과제를 맡기도 한다. 저널리스트나 웹디자이너, 혹은 영화나 방송계 인사처럼 일정한 시기의 인기를 먹고사는 사람들은 이 직업에서 풍기는 아우라에 도취해서 직업을 선택하는 경우가 많다. 그러나 실제로 성공을 거두는 경우는 일 자체의 매력에 흠뻑 빠져서 이루어낸 결과(바이올린을 만드는 경우 '소리')를 자신이 맡은 과제의 결정적인 요소로 느끼는 사람들이다.

프로이센 왕 프리드리히 2세의 말에는 몇 가지 의미가 깔려 있다. 우선 노동에 내재한 최고의 가치를 지칭하면서 동시에 과제에 착수할 때 지녀야 할 이상적인 태도를 가리킨다. 이유는 무엇일까? 가장 간단한 대답은 이것이다.

'최선의 결과를 얻고자 하는 마음가짐으로 과제에 접근하는 사람이 원하는 결과에 가장 먼저 이를 수 있다.'

이 말은 이해하기가 별로 어렵지 않다. 하지만 프리드리히 2세의 말에는 특별한 의미가 있다.

그의 말은 실제적인 성공을 위해 자신의 일에 대해 지녀야 할 핵심적인 태도를 가리킨다. 프리드리히 대왕의 비유에 따르면 중요한 것은 바이올린 자체도 아니고, 바이올린을 구입하는 사람의 칭찬이나 인정도 아니다. 또한 구매자가 바이올린 값으로 지불한 돈도 아니고(물론 당연한 보수로서의 돈은 상당히 중요하지만, 그것이 전부가 아니라는 이야기다), 더 나아가 자신의 직업에 대한 사회적인 명성은 더더욱 아니다.

바이올린을 만드는 사람이 정말 일을 제대로 하기 위해서는 오로지 바이올린의 소리에만 관심을 기울여야 한다. 그렇게 해서 탄생한 완벽한 소리가 노동에 대한 완벽한 보답이다. 금전적인 보상이나 명예는 저절로 따라오게 되어 있다.

---

**프리드리히 대왕(1712~1786)** 프로이센의 왕. 아버지 프리드리히 1세와 심한 갈등을 겪다가 화해한 뒤 프리드리히 1세가 죽자 1740년에 프로이센의 왕위에 올랐다. 당시의 사람들은 그를 철학자 왕으로 여겼지만, 왕위에 오른 지 얼마 되지 않아 전쟁 군주로서의 면모를 보이기 시작했다. 프리드리히 대왕이 슐레지엔 지방을 침공한 것을 계기로 수십 년 동안 전쟁이 이어졌다. 그는 대외적으로 프로이센을 중부 유럽의 강대국으로 부상시켰고, 대내적으로는 경제와 학문 발전에 힘썼다.

---

프리드리히 대왕의 말에서는 다음과 같은 결론을 끄집어낼 수도 있다. 오직 보수만 바라고 일을 한다면 결코 장기적인 성공은 거두지 못한다. 진정한 보답은 남에게서 받는 것이 아니라 자신이 공들인 노동 그 자체에서 얻을 수 있다.

•• **키워드** 경력, 동기 부여, 품질

097

# 고집은 약자의 유일한 강점이다 물론 약점의 측면이 더 크지만

아르투어 슈니츨러 Arthur Schnitzler

고집은 인간의 자연스러운 반응이다. '고집' 하면 특히 어린 아이들이 먼저 떠오른다. 그렇다면 고집을 피우는 아이의 내면에는 어떤 일이 벌어지고 있을까? 자기 뜻을 관철시킬 수 없다는 것을 알면서도 그에 따르지 않으려고 버티는 의지가 작동하고 있다.

어른의 마음도 그와 다르지 않다. 고집은 약자의 반응이다. 약자의 약점에는 여러 가지 이유가 있을 수 있다. 남들에 비해 단순히 능력이 떨어지는 것일 수도 있지만, 잘못된 판단 때문일 수도 있다.

오스트리아 작가 아르투어 슈니츨러의 말을 두 가지 방식으로 생각해보는 것도 퍽 흥미롭다. 하나는 남의 고집과 관련해서, 다른 하나는 자신의 고집과 관련해서 생각해보는 것이다.

남의 고집은 내가 어떤 대결 상황에서 승리를 거두었을 때 남에게서 나타나는 고집이다. 승리한 사람의 입장에서도 이를 잘 다루어야 한다. 남의 고집은 한편으로는 패자에게 고집을 부릴 여지를 어느 정도 허용함으로써 제어해나갈 수 있다. 고집은 항상 자기주장이나 위신과 관련이 있기 때문이다. 패자에게 고집은 어떻게든 마지막 자존심과 체면을 지키려는 시도이다. 그런데 일정 정도 고집을 허용했는데도 패자가 계속 고집을 꺾지 않는다면 어느 순간부터는 그의 고집을 건설적인 방향으로 돌릴 줄 알아야 한다. 이는 무엇보다 패자가 자신의 의지를 새롭게 펼쳐나갈 다른 공간을 허용함으로써 가능하다.

자신의 고집도 들끓는 감정이 어느 정도 지나고 나면 건설적인 방향으로 돌려야 한다. 그러지 않고 계속 고집을 방치하면 슈니츨러의 말처럼, 어느 시점부터는 고집이 그 사람의 약점으로 작용하게 된다.

●● **키워드** 분쟁, 경력, 자기관리

---

**아르투어 슈니츨러(1794~1872)** 오스트리아 소설가. 지그문트 프로이트와의 막역한 우정을 바탕으로 프로이트의 심리 분석을 자신의 작품에 응용했다. 슈니츨러는 단막극과 노벨레에서 개인의 운명을 통해 당시의 사회적 몰락상을 묘사했다. 감수성이 풍부한 언어와 '내적 독백'의 도입은 독일 문학에 새로운 지평을 열어준 그만의 독특한 문체적 특징이다. 주요 작품으로 노벨레 『구스틀 소위』와 『꿈의 노벨레』(스탠리 큐브릭의 마지막 영화 〈아이즈 와이드 셧Eyes Wide Shut〉의 모티프가 되었다), 그리고 단막극 『녹색의 카카두』가 있다.

---

098

# 보기를 보여주는 것이 규정보다 열 배는 더 낫다

찰스 제임스 폭스 Charles James Fox

규칙은 중요하다. 모든 공동체의 공동생활과 공동 행동은 규칙을 기반으로 형성된다.

규칙은 어떤 식으로든 받아들여지고 존중되는 반면 규정은 별 인기가 없고, 심지어 저항을 유발하기도 한다.

규칙을 지키라고 강조하면 규정이 되는 것일까? 영국의 정치인 찰스 제임스 폭스가 한 말의 원문은 이렇다. "Example will avail ten times more than precept." 여기서 '규칙'과 '규정'을 함께 가리키는 'precept'이라는 단어를 사용한 점이 흥미롭다.

폭스의 지적처럼 직접 본보기를 보이는 것이 공동생활이나 공동 행동의 기능에 훨씬 도움이 된다면, 규칙이든 규정이든 둘 다 궁색에 처지에 놓이는 상황은 피할 수 없어 보인다. 그런데 여기서 중요한 것은 실제 행동이 백 마디 말보다 더 낫다는 사실뿐 아니라 행동이 본보기를 보인 사람에게도 영향을 끼친다는 사실이다. 본보기 그 자체가 자신이 도달하고자 하는 상태에 근접해 있기 때문이다. 반면에 말만 늘어놓는 사람은 이상만 번드르르하게 주장할 뿐 실제 행동으로는 보여주지 않는 사람이다.

직접 보기를 보이거나 구체적인 실례를 들어 설명하는 것은 기본적으로 모든 경영 문제에서도 동일한 메커니즘으로 작동한다. 프로젝트를 설명하든, 노하우를 전달하든 어떤 문제의 맥락을 적시해야 하는 자리라면 실제적인 보기를 드는 것은 아주 탁월한 수단이 될 수 있다.

지도자로서 팀의 사기를 북돋워야 한다면 자기 스스로 모범을 보이는 것이 가장 효과가 크다. 팀원 모두에게 중요하다고 생각하는 것을 스스로 먼저 실천하는 사람, 규정을 통해 팀원들을 압박하고 끊임없이 제제 조치로 위협하기보다 이대로 노력하면 분명히 공동의 목표에 도달할 수 있으리라는 확신을 보여주는 사람만이 모든 팀원의 실질적인 동참을 기대할 수 있다.

●● **키워드** 교육, 관철, 지도력, 마음가짐, 학습

---

**찰스 제임스 폭스(1749~1806)** 영국의 정치인. 18세기 중반 영국의 가장 유명한 정치가 중 한 사람이었다. 미국 식민지의 권리를 옹호하고 노예제도 폐지에 찬성하고 프랑스혁명 이념에 동조했다. 이런 성향으로 동료들의 공격을 받아 잠시 정치 일선에서 물러나 있기도 했다.

---

099

# 일상의 권리를 인정하면 일상도 잡다한 요구로 우리에게 부담을 지우지 않을 것이다

클레멘스 브렌타노 Clemens Brentano

일상적인 일들은 고통일 수 있다. 사람이 아무리 책임과 규칙에서 벗어나려고 애써도 일상은 만인에게 자신의 권리를 요구한다. 독일 시인 클레멘스 브렌타노의 충고를 해석해보면, 일상에서 도망칠 수 있다고 생각하는 사람이 오히려 일상에 끌려 다니게 된다는 말이다.

일상의 가장 단순한 요구들을 생각해보자. 우리는 원하든 원치 않든 누구나 먹고 마시고 잠을 잔다. 하지만 그조차 짐이 될 때가 있다. 심지어 극심한 스트레스에 시달리는 사람에게는 삶의 유지에 필수적인 이런 행위가 번거롭기 짝이 없는 일로 여겨질 수도 있다. 하지만 의식적으로라도 이러한 기본 욕구의 권리를 인정하고 즐기려는 태도로 받아들이면 그것은 금방 유쾌한 일로 바뀔 뿐 아니라 정신 건강에도 아주 좋고, 더 나아가 생물학적인 기능을 넘어 정서적인 재충전에도 큰 도움이 된다.

반면에 아무리 애써도 즐거움과 연결시키기 어려운 일상의 요구들이 있다. 가령 지루하게 반복되는 가사 노동이나 장보기 같은 일들이다. 직장 내에도 끝없이 되풀이해야 하는 따분한 업무가 층층이 쌓여 있다. 하지만 어차피 해야 할 일이라면 의식적으로라도 느긋하게 마음먹고 처리하는 편이 그 일과 연결된 부담과 지루함을 다스리는 데 도움이 된다. 일상의 요구를 인정하고, 있는 그대로 받아들이는 태도가 중요하다. 일상적인 일들에 잘 대처해나가면 일상은 우리가 얻고 싶어 하는 자유의 토대가 될 수도 있다.

아직 남은 충고가 더 있다. 두 가지 극단에 빠지지 않도록 주의해야 한다는 것이다. 일상을 단지 짐으로만 느끼는 것이 하나의 극단이다. 그러면 일상의 의미를 놓치게 되어 오로지 불만과 불쾌감만 쌓이게 된다. 또 다른 극단은 일상의 요구를 완벽하게 들어주려는 태도이다. 질서에 대한 지나친 강박관념이 한 예가 될 수 있다. 이 경우 일상의 노예가 되는 것은 피할 수 없다.

●● **키워드** 일상, 자기관리

---

**클레멘스 브렌타노(1778~1842)** 독일 낭만주의의 전성기를 대표하는 중요한 시인이다. 베티네 폰 아르님의 오빠로 많은 이야기와 동화를 발표하여 독일 문학에 큰 자취를 남겼다. 주요 작품으로 『착한 카스페를 어여쁜 안네를 이야기』와 민요 모음집 『소년의 마적』을 들 수 있다.

---

100

# 모든 것이 그대로 있기를 바란다면 모든 것이 변해야만 한다

주세페 토마시 디 람페두사 Giuseppe Tomasi di Lampedusa

모든 것이 그대로 있으려면 모든 것이 변해야 한다? 모순적인 표현이 아닐까? 황당한 논리가 아닐까? 그대로 있으려면 변해야 한다니 말이다.

어쨌든 이 말은 흔히 알려진 것보다 훨씬 더 깊은 의미를 내포하고 있다. 불가피한 변화의 근거를 설명할 때 이 비슷한 말로 표현하는 경우가 드물지 않기 때문이다. 누군가 이 말을 좌중에 던지면 변화를 옹호하는 사람들 사이에서는 즉시 갈채와 동의가 쏟아진다. 그렇다면 더 이상의 의미는 없을까?

그대로 있어야 할 '모든 것'은 무엇일까? 시대를 넘어 인간이 바라는 것은 무엇일까? 그것은 단순히 갈증과 굶주림의 충족, 안전 같은 기본 욕구를 넘어 자유와 일, 정체성, 인정, 보호, 희망 같은 요소들이다.

따라서 모든 것이 그대로 있도록 노력하는 것은 결국 공동의 가치, 공동생활의 토대와 연결된다. 그것은 이런 결론을 시사한다. 즉 '무엇이 바뀌고 희생되어야 하느냐'는 관점에 따라 다르겠지만, 변화는 사회건 기업이건 부서건 할 것 없이 궁극적으로 공동체의 유지를 위해 추진되어야 한다는 것이다. 이것이 이탈리아 작가 주세페 토마시 디 람페두사가 말하고자 하는 바의 핵심이다.

변화를 생각하는 사람은 순간적인 이익을 위해 변화를 추진해서는 안 되고, 자신이 책임지고 있는 공동체 전체를 항상 주목하고 있어야 한다. 또한 계획된 변화의 장기적인 영향력도 깊이 고민해야 한다. 그 다음에야 '모든 것이 그대로 있기' 위해선 어떤 '모든 것'을 바꾸어야 할지 궁리할 수 있다.

●● **키워드** 조직화, 변화

---

**주세페 토마시 디 람페두사(1896~1957)** 이탈리아 소설가. 시칠리아의 귀족 가문에서 태어나 『표범』이라는 소설을 딱 한 편 썼지만, 생전에 출간되지 못하는 바람에 사후에 명성을 얻었다. 그는 뒤늦게 창작 활동을 시작했다. 이 소설은 루치오 비스콘티 감독에 의해 영화로 만들어졌고, 이 영화는 1963년 칸 국제 영화제에서 황금종려상을 받았다.
이 말은 그의 소설에 실려 있다. 영화에서는 돈 파브리치오 역할을 맡은 버트 랭카스터가 이 대사를 했다.

가격 | 가치 | 결정 | 경력 | 경쟁 | 경험 | 계약 | 고객과 고객 만족 | 공정함 | 관리 | 관철 | 광고 | 교육 | 권력 | 규율 | 규칙 | 기회 | 기획 | 능력 | 도구 | 도덕 | 동기 부여 | 마음가짐 | 마케팅 | 목표와 목표 설정 | 문제 인식 | 문제 해결 | 변화 | 분석 | 분업 | 분쟁 | 비전 | 상품 | 성공 | 소통 | 시장성 | 시장 조사 | 실수 | 실행 | 아이디어 | 연구 | 위기 | 일상 | 자기관리 | 전권 위임 | 정체성 | 정보 | 조종 | 조직화 | 지도력 | 지속적 효과 | 지식 | 창의성 | 책임 | 충성 | 통계 | 팀 | 판매 | 품질 | 프로젝트 관리 | 학습 | 혁신 | 현실성 | 협상 | 회의 |

# ☞ 키워드별 보기

여기서는 각 말들을 내용적인 관점에 따라 키워드별로 분류해보았다. 얼핏 보면 분류된 말이 키워드에 전혀 맞지 않아 보일 수도 있다. 하지만 해당 인용문의 내용을 본문에서 찾아 읽으면 왜 그런 주제로 분류를 했는지 고개를 끄덕거리게 될 것이다. 예를 들어 쿠르트 투홀스키의 말("어떤 일을 20년 동안이나 계속 잘못할 수도 있다")은 '팀'이라는 주제와 전혀 어울리지 않는 것처럼 느껴지지만, 해당 내용을 읽어보면 경험의 측면에서 팀의 구성과 조합에 대한 조언을 찾을 수 있을 것이다. 각 말들은 다층적인 의미로 해석할 수 있기에 한 가지 말이 여러 키워드에 들어가기도 한다.

## 가격

냉소주의자는 모든 것의 가격만 알고 가치는 모르는 사람이다. (25쪽)

오스카 와일드

당신의 진면목이 머리 꼭대기에 앉아 고함을 치고 있기에 당신이 그와 반대로 하는 이야기는 내 귀에 들리지 않는다. (166쪽) 랠프 월도 에머슨

## 가치

냉소주의자는 모든 것의 가격만 알고 가치는 모르는 사람이다. (25쪽)

오스카 와일드

## 결정

지도자는 전문가의 조언과 반대로 행동할 용기가 있어야 한다. (52쪽)

제임스 캘러핸

하나의 진실만 존재한다면 동일한 테마로 그렇게 많은 그림을 그릴 수는 없었을 것이다. (65쪽) 파블로 피카소

컴퓨터가 마음에 안 드는 이유는 '예', '아니요'라고만 대답할 뿐 '혹시'라고는 대답할 줄 모르기 때문이다. (89쪽) 브리짓 바르도

주여, 저들을 용서하소서. 저들은 자신이 무슨 짓을 하는지 알기 때문입니다. (132쪽) 카를 크라우스

역사가 되풀이되고 예상치 못한 일이 반복해서 일어난다면 인간은 얼마나 경험에서 배울 줄 모르는 존재인가. (158쪽) 조지 버나드 쇼

## 경력

나는 특별한 재능이 있는 것이 아니라 그저 호기심이 아주 많을 뿐이다. (28쪽) 알베르트 아인슈타인

나이 오십에도 스무 살처럼 세상을 보는 사람은 30년을 헛산 것이다. (36쪽) 무하마드 알리

성공의 80퍼센트는 자신을 드러내는 것이다. (43쪽) 우디 앨런

연예계에서 신은 파멸시키려는 사람을 먼저 성공시켜준다. (71쪽) 프랜시스 포드 코폴라

더 높이 출세해서 더 큰 임무를 받는 사람은 덜 자유롭고 책임만 커질 뿐이다. (74쪽) 헤르만 헤세

모든 예술가의 99퍼센트는 죽기 10분 전에 잊힌다. (78쪽) 에드워드 호퍼

인간과 이미지는 별개다. 이미지에 맞추는 것은 너무 힘들다. (96쪽) 엘비스 프레슬리

습득한 경험의 순서가 인간의 특성을 결정짓는다. (128쪽) 엘리아스 카네티

좋은 치아는 최소한 판사 시보 시험만큼 가치가 있다. (136쪽) 테오도르 폰타네

태어나기 전에 일어난 일을 무시하는 것은 줄곧 어린아이로 머물겠다는 뜻이다. (164쪽) 마르쿠스 툴리우스 키케로

나는 내가 좋아하지 않는 모든 것에 내가 좋아할 만한 이면이 있다는 점을 당연하게 여기면서 내 인생을 만들어나갔다. (181쪽) 코코 샤넬

안전한 길만 택하는 사람에게는 결코 발전이란 없다. (183쪽) 마일즈 데이비스

쓰레기 만드는 일을 하려 한다면 거기서 최고의 쓰레기가 되어라. (187쪽)
리처드 버튼

스물다섯 살에는 누구나 재능이 있지만, 나이 쉰에 재능을 가지기란 어렵다. (194쪽) 에드가 드가

순응하는 사람은 지속적이고 진정한 성공을 거둘 수 없고, 사업을 통해 부자가 될 수도 없다. (206쪽) 장 폴 게티

바이올린을 만든 사람에게는 오로지 소리만이 보답이다. (220쪽)
프리드리히 대왕

고집은 약자의 유일한 강점이다. 물론 약점의 측면이 더 크지만. (223쪽)
아르투어 슈니츨러

## 경쟁

경쟁은 탐험의 즐거움을 배가시킨다. (18쪽) 로알 아문센

한 번 놀라게 했던 것이 다시 놀라게 하는 경우는 드물다. (185쪽)
더글러스 애덤스

사업의 비밀은 남들이 모르는 것을 아는 데 있다. (204쪽)
아리스토텔레스 오나시스

순응하는 사람은 지속적이고 진정한 성공을 거둘 수 없고, 사업을 통해 부자가 될 수도 없다. (206쪽) 장 폴 게티

경쟁의 치열함에 대한 불평은 대개 새로운 아이디어의 부족에 대한 불평일 뿐이다. (214쪽) 발터 라테나우

## 경험

나이 오십에도 스무 살처럼 세상을 보는 사람은 30년을 헛산 것이다. (36쪽) 무하마드 알리

어떤 일을 20년 동안이나 계속 잘못할 수도 있다. (98쪽) 쿠르트 투홀스키

역사가 되풀이되고 예상치 못한 일이 반복해서 일어난다면 인간은 얼마나 경험에서 배울 줄 모르는 존재인가. (158쪽) 조지 버나드 쇼

태어나기 전에 일어난 일을 무시하는 것은 줄곧 어린아이로 머물겠다는 뜻이다. (164쪽) 마르쿠스 툴리우스 키케로

스물다섯 살에는 누구나 재능이 있지만, 나이 쉰에 재능을 가지기란 어렵다. (194쪽) 에드가 드가

## 계약

상냥하게 말로만 할 때보다 무기를 들고 상냥하게 말할 때 훨씬 많은 것을 얻을 수 있다. (80쪽) 알 카포네

## 고객과 고객 만족

내 성공 비결은 단지 사람들이 원하는 걸 준 것뿐이다. (32쪽) 앤디 워홀

취향은 자주 바뀌지만 성향은 좀체 바뀌지 않는다. (152쪽) 라 로슈푸코

## 공정함

삶은 불공평하다. (116쪽) 존 F. 케네디

군자는 만인을 한결같이 대하지만 소인은 패거리의 의리와 이익만 우선한다. (141쪽) 공자

## 관리

다수에 속해 있다면, 자신을 변화시킬(혹은 멈추어서 성찰할) 때가 되었다는 의미다. (21쪽) 마크 트웨인

회의에서 훌륭한 아이디어가 탄생하지는 않는다. 다만 쓸모없는 아이디어들이 많이 솎아지기는 한다. (34쪽) F. 스콧 피츠제럴드

## 관철

창조할 수 있는 사람은 드물고, 그럴 능력이 없는 사람은 무수하다. 따라서 더 강한 쪽은 후자이다. (56쪽) 코코 샤넬

좋은 치아는 최소한 판사 시보 시험만큼 가치가 있다. (136쪽)

테오도르 폰타네

적을 몰되 달아날 구멍은 남겨두라. (148쪽) 손자

원칙대로 사는 것보다 원칙을 위해 싸우는 것이 항상 더 쉬운 법이다. (177쪽) 알프레드 아들러

새로운 관점은 아직 일반화되지 않았다는 이유만으로 항상 의심받고 근거 없이 거부당하기 일쑤다. (189쪽) 존 로크

잘못을 일깨워주는 것도 필요하지만, 진실도 알게 해주어야 한다. (198쪽) 존 로크

보기를 보여주는 것이 규정보다 열 배는 더 낫다. (225쪽) 찰스 제임스 폭스

## 광고

일곱 배로 늘리고, 사람들이 갈망하는 것을 일곱 배로 보여줘라. (30쪽)
발터 벤야민

열 번의 키스가 한 번의 키스보다 쉽게 잊힌다. (46쪽) 장 파울

시대정신을 쫓는 사람은 유행에 뒤처질 수밖에 없다. (83쪽)
비비안 웨스트우드

서툰 지식만큼 사람을 의심스럽게 만드는 것은 없다. (87쪽) 프랜시스 베이컨

정신적인 깊이는 숨겨야 한다. 어디에? 표면에. (124쪽) 후고 폰 호프만스탈

한 번 놀라게 했던 것이 다시 놀라게 하는 경우는 드물다. (185쪽)
더글러스 애덤스

## 교육

지식에 대한 투자가 여전히 이윤이 가장 높다. (41쪽) 벤저민 프랭클린

지식은 능력이 되어야 한다. (69쪽) 카를 폰 클라우제비츠

습득한 경험의 순서가 인간의 특성을 결정짓는다. (128쪽) 엘리아스 카네티

스물다섯 살에는 누구나 재능이 있지만, 나이 쉰에 재능을 가지기란 어렵다. (194쪽) 에드가 드가

인간은 아무것도 가르칠 수 없다. 단지 자기 속에 있는 것을 발견하도록 도와줄 수 있을 뿐이다. (218쪽) 갈릴레오 갈릴레이

보기를 보여주는 것이 규정보다 열 배는 더 낫다. (225쪽) 찰스 제임스 폭스

## 권력

더 높이 출세해서 더 큰 임무를 받는 사람은 덜 자유롭고 책임만 커질 뿐이다. (74쪽) 헤르만 헤세

나는 말괄량이 삐삐를 통해 힘이 있어도 그 힘을 남용하지 않을 수 있다는 걸 보여주고 싶었다. (108쪽) 아스트리드 린드그렌

## 규율

다른 군대를 누를 수 있는 힘은 규모가 아니라 규율에서 나온다. (134쪽) 조지 워싱턴

스스로 움직이는 사람일수록 타인의 영향을 덜 받는다. (139쪽) 프리드리히 니체

## 규칙

잘 조직된 국가에서는 결코 범죄와 공적이 상쇄되어서는 안 된다. (93쪽) 니콜로 마키아벨리

규칙은 왜 모순되면 안 되는가? 그러면 규칙이 아니기 때문이다. (103쪽) 루트비히 비트겐슈타인

## 기회

유행은 새로운 것의 영원한 반복이다. (58쪽) 발터 벤야민

하나의 진실만 존재한다면 동일한 테마로 그렇게 많은 그림을 그릴 수는 없었을 것이다. (65쪽) 파블로 피카소

## 기획

계획은 쓸모없다. 중요한 건 기획이다. (48쪽) 드와이트 데이비드 아이젠하워

나는 한 곡을 작곡하기 전에 몇 번씩 그 주위를 나 자신과 함께 빙빙 돈다. (196쪽) 에릭 사티

나의 예술만큼 즉흥적이지 않은 예술은 없다. 성찰하고 거장들을 연구하는 것이 내 일이다. (202쪽) 에드가 드가

## 능력

지식은 능력이 되어야 한다. (69쪽) 카를 폰 클라우제비츠

습득한 경험의 순서가 인간의 특성을 결정짓는다. (128쪽) 엘리아스 카네티

## 도구

이기는 것이 현대적인 것이다. (15쪽) 오토 레하겔

컴퓨터가 마음에 안 드는 이유는 '예', '아니요'라고만 대답할 뿐 '혹시'라고는 대답할 줄 모르기 때문이다. (89쪽) 브리짓 바르도

거짓말에는 세 종류가 있다. 보통 거짓말, 심한 거짓말, 그리고 통계. (162쪽) 벤저민 디즈레일리

나는 말보다 그림을 선호한다. 그림으로 설명하는 것이 더 빠르고, 거짓말의 여지도 적기 때문이다. (200쪽) 르 코르뷔지에

## 도덕

내가 도덕과 인간적 의무에 대해 확실하게 알게 된 것은 모두 스포츠 덕이다. (105쪽) 알베르 카뮈

도덕은 아무도 없을 때 드러난다. (112쪽) 카를 크라우스

## 동기 부여

음악이 없으면 꿈도 없고, 꿈이 없으면 용기도 없고, 용기가 없으면 성취도 없다. (54쪽) 빔 벤더스

나는 내가 좋아하지 않는 모든 것에 내가 좋아할 만한 이면이 있다는 점을 당연하게 여기면서 내 인생을 만들어나갔다. (181쪽) 코코 샤넬

쓰레기 만드는 일을 하려 한다면 거기서 최고의 쓰레기가 되어라. (187쪽) 리처드 버튼

굴하지 않고 견뎌내는 힘뿐만 아니라 새로 시작하는 힘도 중요한 에너지이다. (208쪽) F. 스콧 피츠제럴드

인간은 훈장을 위해 죽는다. (210쪽) 나폴레옹 보나파르트

바이올린을 만든 사람에게는 오로지 소리만이 보답이다. (220쪽)

프리드리히 대왕

## 마음가짐

다수에 속해 있다면, 자신을 변화시킬(혹은 멈추어서 성찰할) 때가 되었다는 의미다. (21쪽) 마크 트웨인

움직임을 행동과 혼동하지 말라. (23쪽) 어니스트 헤밍웨이

나는 특별한 재능이 있는 것이 아니라 그저 호기심이 아주 많을 뿐이다. (28쪽) 알베르트 아인슈타인

옷을 입는 새로운 사람이 아니라 새로운 옷을 요구하는 기업은 모두 조심하라. (63쪽) 헨리 데이비드 소로

불성실은 더 이상 범죄가 아니다. (100쪽) 게오르크 슈테판 트롤러

내가 도덕과 인간적 의무에 대해 확실하게 알게 된 것은 모두 스포츠 덕이다. (105쪽) 알베르 카뮈

도덕은 아무도 없을 때 드러난다. (112쪽) 카를 크라우스

스스로를 놀리는 사람은 남의 일을 덜어준다. (114쪽) 하인츠 에어하르트

삶은 불공평하다. (116쪽) 존 F. 케네디

약한 사람은 솔직해질 수 없다. (118쪽) 라 로슈푸코

당당하게 받아들인 패배도 승리다. (150쪽) 마리 폰 에브너 에센바흐

쓰레기 만드는 일을 하려 한다면 거기서 최고의 쓰레기가 되어라. (187쪽) 리처드 버튼

나라를 어떻게 이끌어야 할지 안다는 사람들이 모두 택시나 몰고 머리나 자르고 있는 것이 너무 안타깝다. (216쪽) 조지 번즈

보기를 보여주는 것이 규정보다 열 배는 더 낫다. (225쪽) 찰스 제임스 폭스

## 마케팅

일곱 배로 늘리고, 사람들이 갈망하는 것을 일곱 배로 보여줘라. (30쪽)
발터 벤야민

내 성공 비결은 단지 사람들이 원하는 걸 준 것뿐이다. (32쪽) 앤디 워홀

열 번의 키스가 한 번의 키스보다 쉽게 잊힌다. (46쪽) 장 파울

내 책에 수학 공식이 있으면 판매 부수가 떨어질 거라고 누군가 말했다. (67쪽) 스티븐 호킹

사물을 어떤 식으로 포장하든 그 본질은 결코 바뀌지 않는다. (76쪽)
스타니슬라프 예르지 레츠

취향은 자주 바뀌지만 성향은 좀체 바뀌지 않는다. (152쪽) 라 로슈푸코

## 목표와 목표 설정

반드시 해야 되는 것은 없다. 행동만 있을 뿐이다. (110쪽) 제리 루이스

어떤 사람들은 사물을 있는 그대로 바라보면서 왜 그리 되었느냐고 묻지만, 나는 이제껏 존재하지 않았던 것을 꿈꾸면서 그것은 왜 안 되느냐고 묻는다. (156쪽) 로버트 F. 케네디

나는 내가 좋아하지 않는 모든 것에 내가 좋아할 만한 이면이 있다는 점을 당연하게 여기면서 내 인생을 만들어나갔다. (161쪽) 코코 샤넬

자신이 어디서 왔고 어디로 가는지 모르는 사람은 정보를 가려낼 수 없다. (174쪽) 닐 포스트먼

안전한 길만 택하는 사람에게는 결코 발전이란 없다. (183쪽)
마일즈 데이비스

정상에 오르기 전까지는 산의 높이를 재지 마라. 오르고 나서야 산이 얼마나 낮았는지 깨닫게 될 것이다. (192쪽) 다그 함마르셸드

굴하지 않고 견뎌내는 힘뿐만 아니라 새로 시작하는 힘도 중요한 에너지이다. (208쪽) F. 스콧 피츠제럴드

최선을 다하겠다는 말은 무의미하다. 필요한 일을 할 수 있어야 한다. (212쪽) 윈스턴 처칠

## 문제 인식

네 눈 속의 티끌이 최고의 확대경이다. (120쪽) 테오도르 아도르노

비판하기보다는 항상 특징짓기에 애써야 한다. (130쪽)
크리스티안 모르겐슈테른

## 문제 해결

하나의 진실만 존재한다면 동일한 테마로 그렇게 많은 그림을 그릴 수는 없었을 것이다. (65쪽) 파블로 피카소

사물을 어떤 식으로 포장하든 그 본질은 결코 바뀌지 않는다. (76쪽)
스타니슬라프 예르지 레츠

비판하기보다는 항상 특징짓기에 애써야 한다. (130쪽)
크리스티안 모르겐슈테른

지도자는 문제를 지적하면서 해결책도 제시해야 한다. (144쪽)
말콤 포브스

## 변화

창조할 수 있는 사람은 드물고, 그럴 능력이 없는 사람은 무수하다. 따라서 더 강한 쪽은 후자이다. (56쪽) 코코 샤넬

옷을 입는 새로운 사람이 아니라 새로운 옷을 요구하는 기업은 모두 조심하라. (63쪽) 헨리 데이비드 소로

아무리 급진적인 혁명가라도 혁명 바로 다음 날이면 보수적이 된다. (146쪽) 한나 아렌트

새로운 관점은 아직 일반화되지 않았다는 이유만으로 항상 의심받고 근거 없이 거부당하기 일쑤다. (189쪽) 존 로크

잘못을 일깨워주는 것도 필요하지만, 진실도 알게 해주어야 한다. (198쪽) 존 로크

모든 것이 그대로 있기를 바란다면 모든 것이 변해야만 한다. (229쪽)
주제페 토마시 디 람페두사

## 분석

다수에 속해 있다면, 자신을 변화시킬(혹은 멈추어서 성찰할) 때가 되었다는 의미다. (21쪽) 마크 트웨인

생각이란 찬성이나 반대가 아니다. 그러면 투표가 되어버린다. (39쪽)
로버트 프로스트

하나의 진실만 존재한다면 동일한 테마로 그렇게 많은 그림을 그릴 수는 없었을 것이다. (65쪽) 파블로 피카소

정신적인 깊이는 숨겨야 한다. 어디에? 표면에. (124쪽) 후고 폰 호프만스탈

비판하기보다는 항상 특징짓기에 애써야 한다. (130쪽)

크리스티안 모르겐슈테른

역사가 되풀이되고 예상치 못한 일이 반복해서 일어난다면 인간은 얼마나 경험에서 배울 줄 모르는 존재인가. (158쪽) 조지 버나드 쇼

누구나 머리 앞에 판자 한 장씩이 있다. 중요한 것은 그 거리다. (160쪽)

마리 폰 에브너 에센바흐

거짓말에는 세 종류가 있다. 보통 거짓말, 심한 거짓말, 그리고 통계. (162쪽) 벤저민 디즈레일리

태어나기 전에 일어난 일을 무시하는 것은 줄곧 어린아이로 머물겠다는 뜻이다. (164쪽) 마르쿠스 툴리우스 키케로

자신이 어디서 왔고 어디로 가는지 모르는 사람은 정보를 가려낼 수 없다. (174쪽) 닐 포스트먼

나의 예술만큼 즉흥적이지 않은 예술은 없다. 성찰하고 거장들을 연구하는 것이 내 일이다. (202쪽) 에드가 드가

## 분업

나는 예민한 대본작가이자 배우이자 감독이다. 만일 나와 함께 일하고 싶다면 성가신 내 매니저에게 전화하시오. (50쪽) 실베스터 스탤론

지도자는 전문가의 조언과 반대로 행동할 용기가 있어야 한다. (52쪽)

제임스 캘러핸

전쟁에 이길 수 있는 사람은 올바른 평화를 조성하기 어렵고, 올바른 평화를 조성할 수 있는 사람은 결코 전쟁에서 이기지 못한다. (179쪽)

윈스턴 처칠

## 분쟁

창조할 수 있는 사람은 드물고, 그럴 능력이 없는 사람은 무수하다. 따라서 더 강한 쪽은 후자이다. (56쪽) 코코 샤넬

상냥하게 말로만 할 때보다 무기를 들고 상냥하게 말할 때 훨씬 많은 것을 얻을 수 있다. (80쪽) 알 카포네

약한 사람은 솔직해질 수 없다. (118쪽) 라 로슈푸코

아무리 급진적인 혁명가라도 혁명 바로 다음 날이면 보수적이 된다. (146쪽) 한나 아렌트

적을 몰되 달아날 구멍은 남겨두라. (148쪽) 손자

당당하게 받아들인 패배도 승리다. (150쪽) 마리 폰 에브너 에센바흐

누구나 머리 앞에 판자 한 장씩이 있다. 중요한 것은 그 거리다. (160쪽)
마리 폰 에브너 에센바흐

한 번 놀라게 했던 것이 다시 놀라게 하는 경우는 드물다. (185쪽)
더글러스 애덤스

새로운 관점은 아직 일반화되지 않았다는 이유만으로 항상 의심받고 근거 없이 거부당하기 일쑤다. (189쪽) 존 로크

잘못을 일깨워주는 것도 필요하지만, 진실도 알게 해주어야 한다. (198쪽) 존 로크

나는 말보다 그림을 선호한다. 그림으로 설명하는 것이 더 빠르고, 거짓말의 여지도 적기 때문이다. (200쪽) 르 코르뷔지에

고집은 약자의 유일한 강점이다. 물론 약점의 측면이 더 크지만. (223쪽)
아르투어 슈니츨러

## 비전

어떤 사람들은 사물을 있는 그대로 바라보면서 왜 그리 되었느냐고 묻지만, 나는 이제껏 존재하지 않았던 것을 꿈꾸면서 그것은 왜 안 되느냐고 묻는다. (156쪽) 로버트 F. 케네디

나는 내가 좋아하지 않는 모든 것에 내가 좋아할 만한 이면이 있다는 점을 당연하게 여기면서 내 인생을 만들어나갔다. (181쪽) 코코 샤넬

## 상품

내 성공 비결은 단지 사람들이 원하는 걸 준 것뿐이다. (32쪽) 앤디 워홀

유행은 새로운 것의 영원한 반복이다. (58쪽) 발터 벤야민

내 책에 수학 공식이 있으면 판매 부수가 떨어질 거라고 누군가 말했다. (67쪽) 스티븐 호킹

사물을 어떤 식으로 포장하든 그 본질은 결코 바뀌지 않는다. (76쪽)
스타니슬라프 예르지 레츠

서툰 지식만큼 사람을 의심스럽게 만드는 것은 없다. (87쪽) 프랜시스 베이컨

취향은 자주 바뀌지만 성향은 좀체 바뀌지 않는다. (152쪽) 라 로슈푸코

당신의 진면목이 머리 꼭대기에 앉아 고함을 치고 있기에 당신이 그와 반대로 하는 이야기는 내 귀에 들리지 않는다. (166쪽)
랠프 월도 에머슨

## 성공

내 성공 비결은 단지 사람들이 원하는 걸 준 것뿐이다. (32쪽) 앤디 워홀

성공의 80퍼센트는 자신을 드러내는 것이다. (43쪽) 우디 앨런

연예계에서 신은 파멸시키려는 사람을 먼저 성공시켜준다. (71쪽)
프랜시스 포드 코폴라

모든 예술가의 99퍼센트는 죽기 10분 전에 잊힌다. (78쪽) 에드워드 호퍼

인간과 이미지는 별개다. 이미지에 맞추는 것은 너무 힘들다. (96쪽)
엘비스 프레슬리

## 소통

회의에서 훌륭한 아이디어가 탄생하지는 않는다. 다만 쓸모없는 아이디어들이 많이 솎아지기는 한다. (34쪽) F. 스콧 피츠제럴드

사물을 어떤 식으로 포장하든 그 본질은 결코 바뀌지 않는다. (76쪽)
스타니슬라프 예르지 레츠

서툰 지식만큼 사람을 의심스럽게 만드는 것은 없다. (87쪽)
프랜시스 베이컨

정신적인 깊이는 숨겨야 한다. 어디에? 표면에. (124쪽)
후고 폰 호프만스탈

나는 말보다 그림을 선호한다. 그림으로 설명하는 것이 더 빠르고, 거짓말의 여지도 적기 때문이다. (200쪽) 르 코르뷔지에

## 시장성

일곱 배로 늘리고, 사람들이 갈망하는 것을 일곱 배로 보여줘라. (30쪽)
발터 벤야민

내 책에 수학 공식이 있으면 판매 부수가 떨어질 거라고 누군가 말했다. (67쪽) 스티븐 호킹

## 시장 조사

내 성공 비결은 단지 사람들이 원하는 걸 준 것뿐이다. (32쪽) 앤디 워홀

유행은 새로운 것의 영원한 반복이다. (58쪽) 발터 벤야민

취향은 자주 바뀌지만 성향은 좀체 바뀌지 않는다. (152쪽) 라 로슈푸코

거짓말에는 세 종류가 있다. 보통 거짓말, 심한 거짓말, 그리고 통계. (162쪽) 벤저민 디즈레일리

## 실수

잘못인 줄 알면서도 고치지 않는 것이야말로 잘못이다. (122쪽) 공자

## 실행

이기는 것이 현대적인 것이다. (15쪽) 오토 레하겔

움직임을 행동과 혼동하지 말라. (23쪽) 어니스트 헤밍웨이

계획은 쓸모없다. 중요한 건 기획이다. (48쪽) 드와이트 데이비드 아이젠하워

지도자는 전문가의 조언과 반대로 행동할 용기가 있어야 한다. (52쪽)
제임스 캘러핸

지식은 능력이 되어야 한다. (69쪽) 카를 폰 클라우제비츠

반드시 해야 되는 것은 없다. 행동만 있을 뿐이다. (110쪽) 제리 루이스

번개로 세상을 비출 수는 있지만 오븐을 데울 수는 없다. (126쪽)
크리스티안 프리드리히 헤벨

놓아야만 다시 즐거움을 얻는다. (154쪽) 에바 마테스

안전한 길만 택하는 사람에게는 결코 발전이란 없다. (183쪽)
마일즈 데이비스

정상에 오르기 전까지는 산의 높이를 재지 마라. 오르고 나서야 산이 얼마나 낮았는지 깨닫게 될 것이다. (192쪽) 다그 함마르셸드

굴하지 않고 견뎌내는 힘뿐만 아니라 새로 시작하는 힘도 중요한 에너지이다. (208쪽) F. 스콧 피츠제럴드

최선을 다하겠다는 말은 무의미하다. 필요한 일을 할 수 있어야 한다. (212쪽) 윈스턴 처칠

## 아이디어

회의에서 훌륭한 아이디어가 탄생하지는 않는다. 다만 쓸모없는 아이디어들이 많이 쏟아지기는 한다. (34쪽) F. 스콧 피츠제럴드

창조할 수 있는 사람은 드물고, 그럴 능력이 없는 사람은 무수하다. 따라서 더 강한 쪽은 후자이다. (56쪽) 코코 샤넬

유행은 새로운 것의 영원한 반복이다. (58쪽) 발터 벤야민

쓸 만한 것은 이미 다 나왔다. 우리가 할 일은 그에 대해 한 번 더 생각하는 것뿐이다. (61쪽) 요한 볼프강 폰 괴테

하나의 진실만 존재한다면 동일한 테마로 그렇게 많은 그림을 그릴 수는 없었을 것이다. (65쪽) 파블로 피카소

경쟁의 치열함에 대한 불평은 대개 새로운 아이디어의 부족에 대한 불평일 뿐이다. (214쪽) 발터 라테나우

## 연구

쓸 만한 것은 이미 다 나왔다. 우리가 할 일은 그에 대해 한 번 더 생각하는 것뿐이다. (61쪽) 요한 볼프강 폰 괴테

누구나 머리 앞에 판자 한 장씩이 있다. 중요한 것은 그 거리다. (160쪽) 마리 폰 에브너 에센바흐

## 위기

서툰 지식만큼 사람을 의심스럽게 만드는 것은 없다. (87쪽)

프랜시스 베이컨

## 일상

번개로 세상을 비출 수는 있지만 오븐을 데울 수는 없다. (126쪽)

크리스티안 프리드리히 헤벨

다른 군대를 누를 수 있는 힘은 규모가 아니라 규율에서 나온다. (134쪽)

조지 워싱턴

스스로 움직이는 사람일수록 타인의 영향을 덜 받는다. (139쪽)

프리드리히 니체

놓아야만 다시 즐거움을 얻는다. (154쪽) 에바 마테스

일상의 권리를 인정하면 일상도 잡다한 요구로 우리에게 부담을 지우지 않을 것이다. (227쪽) 클레멘스 브렌타노

## 자기관리

다수에 속해 있다면, 자신을 변화시킬(혹은 멈추어서 성찰할) 때가 되었다는 의미다. (21쪽) 마크 트웨인

움직임을 행동과 혼동하지 말라. (23쪽) 어니스트 헤밍웨이

나는 특별한 재능이 있는 것이 아니라 그저 호기심이 아주 많을 뿐이다. (28쪽) 알베르트 아인슈타인

음악이 없으면 꿈도 없고, 꿈이 없으면 용기도 없고, 용기가 없으면 성취도 없다. (54쪽) 빔 벤더스

옷을 입는 새로운 사람이 아니라 새로운 옷을 요구하는 기업은 모두 조심하라. (63쪽) 헨리 데이비드 소로

도덕은 아무도 없을 때 드러난다. (112쪽) 카를 크라우스

스스로를 놀리는 사람은 남의 일을 덜어준다. (114쪽) 하인츠 에어하르트

삶은 불공평하다. (116쪽) 존 F. 케네디

찾지 않으면 더 이상 자신을 찾는 사람도 없을 것이다. (168쪽) 장 파울

판박이로 사는 사람은 패배자다. (170쪽) 브루스 스프링스틴

자신을 어떻게 생각하느냐가 운명을 결정짓는다. (172쪽)
헨리 데이비드 소로

원칙대로 사는 것보다 원칙을 위해 싸우는 것이 항상 더 쉬운 법이다. (177쪽) 알프레드 아들러

쓰레기 만드는 일을 하려 한다면 거기서 최고의 쓰레기가 되어라. (187쪽) 리처드 버튼

스물다섯 살에는 누구나 재능이 있지만, 나이 쉰에 재능을 가지기란 어렵다. (194쪽) 에드가 드가

고집은 약자의 유일한 강점이다. 물론 약점의 측면이 더 크지만. (223쪽) 아르투어 슈니츨러

일상의 권리를 인정하면 일상도 잡다한 요구로 우리에게 부담을 지우지 않을 것이다. (227쪽) 클레멘스 브렌타노

## 전권 위임

나는 예민한 대본작가이자 배우이자 감독이다. 만일 나와 함께 일하고 싶다면 성가신 내 매니저에게 전화하시오. (50쪽) 실베스터 스탤론

사람들은 운전자로서 자신의 능력을 과대평가하는 경향이 있다. (85쪽)
미하엘 슈마허

## 정체성

무엇이 정신적 분위기를 진공 상태로 만드는가? 개인의 고유한 특색을 허용하지 않는 것이다. (91쪽) 게르하르트 하우프트만

인간과 이미지는 별개다. 이미지에 맞추는 것은 너무 힘들다. (96쪽)

엘비스 프레슬리

## 정보

회의에서 훌륭한 아이디어가 탄생하지는 않는다. 다만 쓸모없는 아이디어들이 많이 솎아지기는 한다. (34쪽) F. 스콧 피츠제럴드

자신이 어디서 왔고 어디로 가는지 모르는 사람은 정보를 가려낼 수 없다. (174쪽) 닐 포스트먼

사업의 비밀은 남들이 모르는 것을 아는 데 있다. (204쪽)

아리스토텔레스 오나시스

## 조종

회의에서 훌륭한 아이디어가 탄생하지는 않는다. 다만 쓸모없는 아이디어들이 많이 솎아지기는 한다. (34쪽) F. 스콧 피츠제럴드

잘못인 줄 알면서도 고치지 않는 것이야말로 잘못이다. (122쪽) 공자

## 조직화

무엇이 정신적 분위기를 진공 상태로 만드는가? 개인의 고유한 특색을 허용하지 않는 것이다. (91쪽) 게르하르트 하우프트만

규칙은 왜 모순되면 안 되는가? 그러면 규칙이 아니기 때문이다. (103쪽)

루트비히 비트겐슈타인

삶은 불공평하다. (116쪽) 존 F. 케네디

모든 것이 그대로 있기를 바란다면 모든 것이 변해야만 한다. (229쪽)
주제페 토마시 디 람페두사

## 지도력

움직임을 행동과 혼동하지 말라. (23쪽) 어니스트 헤밍웨이

나는 예민한 대본작가이자 배우이자 감독이다. 만일 나와 함께 일하고 싶다면 성가신 내 매니저에게 전화하시오. (50쪽) 실베스터 스탤론

지도자는 전문가의 조언과 반대로 행동할 용기가 있어야 한다. (52쪽)
제임스 캘러핸

사람들은 운전자로서 자신의 능력을 과대평가하는 경향이 있다. (85쪽)
미하엘 슈마허

무엇이 정신적 분위기를 진공 상태로 만드는가? 개인의 고유한 특색을 허용하지 않는 것이다. (91쪽) 게르하르트 하우프트만

잘 조직된 국가에서는 결코 범죄와 공적이 상쇄되어서는 안 된다. (93쪽)
니콜로 마키아벨리

규칙은 왜 모순되면 안 되는가? 그러면 규칙이 아니기 때문이다. (103쪽)
루트비히 비트겐슈타인

나는 말괄량이 삐삐를 통해 힘이 있어도 그 힘을 남용하지 않을 수 있다는 걸 보여주고 싶었다. (108쪽) 아스트리드 린드그렌

스스로를 놀리는 사람은 남의 일을 덜어준다. (114쪽) 하인츠 에어하르트

삶은 불공평하다. (116쪽) 존 F. 케네디

군자는 만인을 한결같이 대하지만 소인은 패거리의 의리와 이익만 우선한다. (141쪽) 공자

지도자는 문제를 지적하면서 해결책도 제시해야 한다. (144쪽)

말콤 포브스

인간은 훈장을 위해 죽는다. (210쪽) 나폴레옹 보나파르트

보기를 보여주는 것이 규정보다 열 배는 더 낫다. (225쪽) 찰스 제임스 폭스

## 지속적 효과

취향은 자주 바뀌지만 성향은 좀체 바뀌지 않는다. (152쪽) 라 로슈푸코

## 지식

지식은 능력이 되어야 한다. (69쪽) 카를 폰 클라우제비츠

서툰 지식만큼 사람을 의심스럽게 만드는 것은 없다. (87쪽)

프랜시스 베이컨

## 창의성

나는 특별한 재능이 있는 것이 아니라 그저 호기심이 아주 많을 뿐이다. (28쪽) 알베르트 아인슈타인

생각이란 찬성이나 반대가 아니다. 그러면 투표가 되어버린다. (39쪽)

로버트 프로스트

유행은 새로운 것의 영원한 반복이다. (58쪽) 발터 벤야민

쓸 만한 것은 이미 다 나왔다. 우리가 할 일은 그에 대해 한 번 더 생각하는 것뿐이다. (61쪽) 요한 볼프강 폰 괴테

시대정신을 좇는 사람은 유행에 뒤처질 수밖에 없다. (83쪽)
비비안 웨스트우드

컴퓨터가 마음에 안 드는 이유는 '예', '아니요'라고만 대답할 뿐 '혹시'라고는 대답할 줄 모르기 때문이다. (89쪽) 브리짓 바르도

무엇이 정신적 분위기를 진공 상태로 만드는가? 개인의 고유한 특색을 허용하지 않는 것이다. (91쪽) 게르하르트 하우프트만

놓아야만 다시 즐거움을 얻는다. (154쪽) 에바 마테스

나는 한 곡을 작곡하기 전에 몇 번씩 그 주위를 나 자신과 함께 빙빙 돈다. (196쪽) 에릭 사티

나의 예술만큼 즉흥적이지 않은 예술은 없다. 성찰하고 거장들을 연구하는 것이 내 일이다. (202쪽) 에드가 드가

## 책임

더 높이 출세해서 더 큰 임무를 받는 사람은 덜 자유롭고 책임만 커질 뿐이다. (74쪽) 헤르만 헤세

주여, 저들을 용서하소서. 저들은 자신이 무슨 짓을 하는지 알기 때문입니다. (132쪽) 카를 크라우스

나라를 어떻게 이끌어야 할지 안다는 사람들이 모두 택시나 몰고 머리나 자르고 있는 것이 너무 안타깝다. (216쪽) 조지 번즈

## 충성

불성실은 더 이상 범죄가 아니다. (100쪽) 게오르크 슈테판 트롤러

## 통계

거짓말에는 세 종류가 있다. 보통 거짓말, 심한 거짓말, 그리고 통계. (162쪽) 벤저민 디즈레일리

## 팀

사람들은 운전자로서 자신의 능력을 과대평가하는 경향이 있다. (85쪽) 미하엘 슈마허

무엇이 정신적 분위기를 진공 상태로 만드는가? 개인의 고유한 특색을 허용하지 않는 것이다. (91쪽) 게르하르트 하우프트만

어떤 일을 20년 동안이나 계속 잘못할 수도 있다. (98쪽) 쿠르트 투홀스키

내가 도덕과 인간적 의무에 대해 확실하게 알게 된 것은 모두 스포츠 덕이다. (105쪽) 알베르 카뮈

## 판매

내 책에 수학 공식이 있으면 판매 부수가 떨어질 거라고 누군가 말했다. (67쪽) 스티븐 호킹

## 품질

당신의 진면목이 머리 꼭대기에 앉아 고함을 치고 있기에 당신이 그와 반대로 하는 이야기는 내 귀에 들리지 않는다. (166쪽) 랠프 월도 에머슨

쓰레기 만드는 일을 하려 한다면 거기서 최고의 쓰레기가 되어라. (187쪽) 리처드 버튼

바이올린을 만든 사람에게는 오로지 소리만이 보답이다. (220쪽)

프리드리히 대왕

## 프로젝트 관리

지도자는 전문가의 조언과 반대로 행동할 용기가 있어야 한다. (52쪽)

제임스 캘러핸

서툰 지식만큼 사람을 의심스럽게 만드는 것은 없다. (87쪽)

프랜시스 베이컨

컴퓨터가 마음에 안 드는 이유는 '예', '아니요'라고만 대답할 뿐 '혹시'라고는 대답할 줄 모르기 때문이다. (89쪽) 브리짓 바르도

잘못인 줄 알면서도 고치지 않는 것이야말로 잘못이다. (122쪽) 공자

습득한 경험의 순서가 인간의 특성을 결정짓는다. (128쪽) 엘리아스 카네티

정상에 오르기 전까지는 산의 높이를 재지 마라. 오르고 나서야 산이 얼마나 낮았는지 깨닫게 될 것이다. (192쪽) 다그 함마르셸드

## 학습

나이 오십에도 스무 살처럼 세상을 보는 사람은 30년을 헛산 것이다. (36쪽) 무하마드 알리

어떤 일을 20년 동안이나 계속 잘못할 수도 있다. (98쪽) 쿠르트 투홀스키

인간은 아무것도 가르칠 수 없다. 단지 자기 속에 있는 것을 발견하도록 도와줄 수 있을 뿐이다. (218쪽) 갈릴레오 갈릴레이

보기를 보여주는 것이 규정보다 열 배는 더 낫다. (225쪽) 찰스 제임스 폭스

## 혁신

나는 특별한 재능이 있는 것이 아니라 그저 호기심이 아주 많을 뿐이다. (28쪽) 알베르트 아인슈타인

유행은 새로운 것의 영원한 반복이다. (58쪽) 발터 벤야민

쓸 만한 것은 이미 다 나왔다. 우리가 할 일은 그에 대해 한 번 더 생각하는 것뿐이다. (61쪽) 요한 볼프강 폰 괴테

시대정신을 좇는 사람은 유행에 뒤처질 수밖에 없다. (83쪽)
비비안 웨스트우드

## 현실성

이기는 것이 현대적인 것이다. (15쪽) 오토 레하겔

유행은 새로운 것의 영원한 반복이다. (58쪽) 발터 벤야민

## 협상

나는 예민한 대본작가이자 배우이자 감독이다. 만일 나와 함께 일하고 싶다면 성가신 내 매니저에게 전화하시오. (50쪽) 실베스터 스탤론

상냥하게 말로만 할 때보다 무기를 들고 상냥하게 말할 때 훨씬 많은 것을 얻을 수 있다. (80쪽) 알 카포네

약한 사람은 솔직해질 수 없다. (118쪽) 라 로슈푸코

## 회의

회의에서 훌륭한 아이디어가 탄생하지는 않는다. 다만 쓸모없는 아이디어들이 많이 쏚아지기는 한다. (34쪽) F. 스콧 피츠제럴드

생각이란 찬성이나 반대가 아니다. 그러면 투표가 되어버린다. (39쪽)

로버트 프로스트

**헬게 헤세**
독일의 프리랜서 출판 기획자이자 작가이다. 대학에서 철학과 경영학을 전공하고 출판사에서 오랫동안 프로젝트 매니저로 일했다. 단편영화 감독으로도 활동하면서 유럽 여러 영화제에 작품을 출품했다. 《한델스블라트*Handelsblatt*》와 《차이트*Zeit*》에 문화, 역사, 경제에 관한 칼럼과 시리즈 기사를 다수 연재했으며 『킨들러스 리테라투어 렉시콘*Kindlers Literatur Lexikon*』을 비롯한 다양한 학술 참고문헌을 편집했다.

**옮긴이_ 박종대**
성균관대학교 독문학과와 같은 대학원을 졸업한 뒤 독일 쾰른 대학교에서 문학과 철학을 공부했다. 현재 전문 번역가로 활동하고 있다. 옮긴 책으로는 『위대한 패배자』 『바르톨로메는 개가 아니다』 『목 매달린 여우의 숲』 『운명』 『임페리움』 『실크로드 견문록』 『이야기 파는 남자』 『청소년을 위한 정치 이야기』 『자연의 재앙 인간』 『천마디를 이긴 한마디』 등이 있다. schicksallos@empal.com

# 천마디를 이긴 한마디 2
## CEO를 위한 100가지 명언



1판 1쇄 찍음 2008년 7월 25일
1판 1쇄 펴냄 2008년 7월 30일

지은이 | 헬게 헤세
옮긴이 | 박종대
펴낸이 | 김정호
펴낸곳 | 북스코프

기획 편집 | 이현정 박민주
영업 제작 | 양병희 윤경한
홍보 관리 | 박소영

출판등록 2006년 11월 23일(제2-4510호)
100-802 서울 중구 남대문로 5가 526 대우재단빌딩 8층
전화 02-6366-0513(편집) | 02-6366-0514(주문)
팩스 02-6366-0515
전자우편 editor@acanet.co.kr

ISBN 978-89-961132-1-8 03850
Printed in Seoul, Korea.

★ 북스코프는 아카넷의 임프린트입니다.
★ 값은 뒤표지에 있습니다. 잘못 만든 책은 구입하신 서점에서 교환해드립니다.